DIALANN

Dúradáin

BARR AR AN DONAS

le Jeff Kinney

Máirín Ní Mhárta
a rinne an leagan Gaeilge

Futa Fata

An Spidéal

Foras na Gaeilge

Tá Futa Fata buíoch d'Fhoras na Gaeilge (Clár na Leabhar)
faoin tacaíocht airgid. .

Futa Fata,
An Spidéal,
Co. na Gaillimhe,
Éire
www.futafata.ie
ISBN: 978-1-910945-30-8

DO TIM

EANÁIR

<u>Lá Caille</u>

Is cosúil go bhfuil tú ceaptha liosta "dea-rún" a bheith agat ag tús na bliana chun feabhas a chur ort féin.

Bhuel, faraor níl aon fheabhas le cur ormsa mar go bhfuil mé ar dhuine de na daoine is fearr dá bhfuil aithne agam orthu.

I mbliana, mar sin, is é mo rún ná feabhas a chur ar DHAOINE EILE. Ach, go minic, ní bhíonn daoine an-bhuíoch díot nuair a dhéanann tú iarracht cabhrú leo.

Thug mé faoi deara ón tús nach bhfuil ag éirí le muintir an tí seo cloí leis na dea-rúin a bhí ACUSAN don bhliain nua.

Dúirt Mama go raibh sí chun dul chuig an spórtlann inniu, ach chaith sí an lá ag féachaint ar an teilifís.

Agus dúirt Daid go raibh sé chun bia níos sláintiúla a ithe ach rug mé air tráthnóna ag ithe cáca milis amuigh sa gharáiste.

Ní raibh mo dhearthár beag, Manny, fiú in ann cloí leis an dea-rún a bhí aige.

Maidin inniu dúirt sé gur "buachaill mór" é agus go bhfuil sé ag caitheamh uaidh a ghobán. Ansin chuir sé sa bhruscar é.

Bhuel, níor mhair an dea-rún sin DHÁ NÓIMÉAD.

An t-aon duine sa teach seo nár thug faoi dhea-rún don bhliain nua ná Rodrick, agus is mór an trua é sin mar ba cheart go mbeadh liosta an-fhada aige siúd.

Mar sin, rinne mé cinneadh cúnamh a thabhairt do Rodrick bheith ina dhuine níos fearr. Thug mé "Trí X agus Tá Tú Scriosta" ar mo phlean. Go bunúsach, am ar bith a d'fheicfinn Rodrick ag déanamh rud as bealach, chuirfinn "X" ar a chairt.

Bhuel, fuair Rodrick na trí "X" sula raibh deis agam smaoineamh ar cad is brí le "Scriosta".

Ar aon nós, tá mé féin ag smaoineamh ar éirí as mo rún FÉIN freisin. Tá go leor oibre i gceist agus níl aon dul chun cinn déanta.

Pé scéal é, chuir mé i gcuimhne do Mhama míle is céad uair gan bheith ag déanamh torainn agus í ag ithe. Dúirt sí, "Níl muid uilig chomh foirfe LEATSA, a Gregory." Agus ceapaim go bhfuil an ceart aici.

<u>Déardaoin</u>
Tá Daid ag ithe go folláin arís agus sin
drochscéala domsa. Tá trí lá caite aige gan
seacláid agus tá sé THAR A BHEITH cantalach
dhá bharr.

An lá cheana, nuair a dhúisigh sé mé ar maidin,
thit mé ar ais i mo chodladh. Creid uaimse é, ní
dhéanfaidh mé an botún SIN arís.

Dúisíonn sé mé de ghnáth sula mbíonn Mama
tagtha amach as an gcith agus bíonn a fhios
agam go mbíonn thart ar dheich nóiméad eile
agam sa leaba.

Inné smaoinigh mé ar bhealach chun tuilleadh ama codlata a fháil gan fearg a chur ar Dhaid. Nuair a dhúisigh sé mé, thug mé mo phluid liom agus luigh mé taobh amuigh den seomra folctha go mbeadh Mama réidh.

Ach bhí mé luite ar bharr an téitheora. Agus mar gheall go raibh an teas ar siúl, bhí sé NÍOS FEARR ná bheith sa leaba.

Ach níor fhan an teas ar siúl ach ar feadh cúig nóiméad. Mar sin, nuair a múchadh an téitheoir, bhí mé i mo luí ar phíosa fuar miotail.

Maidin inniu agus mé ag fanacht ar Mhama teacht amach as an gcith, smaoinigh mé gur thug duine éigin róba folctha di faoi Nollaig. Thóg mé amach as a cófra é.

B'in ceann de na rudaí ba chiallmhaire a rinne mé riamh. Bhí sé cosúil le tuáille mór teolaí a bhí díreach tagtha amach as an triomaitheoir.

Thaitin sé chomh mór liom gur choinnigh mé orm é. Ceapaim go raibh éad ar Dhaid mar go raibh cantal an diabhail air nuair a chuaigh mé SÍOS i gcomhair bricfeasta.

Nach aoibhinn do na mná agus na róbaí seo acu. Ach céard EILE a bhfuil mé ag cailleadh amach air?

Faraor nár iarr mé féin róba folctha don Nollaig mar is cinnte go mbeidh Mama ag iarraidh a ceann féin ar ais.

Fuair mé drochbhronntanais arís i mbliana. Bhí a fhios agam gur drochlá a bheadh ann nuair a chonaic mé maidin Lá Nollag nach raibh i mo stoca ach gallúnach agus foclóir taistil.

Breathnaíonn sé go gceapann siad anois go bhfuil mé róshean le haghaidh bréagán.

Agus bíonn siad fós ag súil go mbeidh tú sásta le
do chuid bronntanas bréan.

Leabhair nó éadaí is mó a fuair mé i mbliana.
Ba é an bronntanas ó Uncail Charlie an rud ba
ghaire do bhréagán a fuair mé.

Nuair a d'oscail mé é, ní raibh tuairim dá laghad
agam céard a bhí ann. Fáinne mór plaisteach le
heangach air.

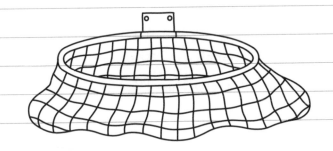

Mhínigh Uncail Charlie gur fáinne d'éadaí salacha a bhí ann. Dúirt sé liom é a chrochadh ar chúl an dorais i mo sheomra agus "píosa craic" a bheith agam ag caitheamh MO CHUIDSE éadaí isteach ann.

CAITH

Cheap mé gur ag magadh a bhí sé ar dtús ach ansin thuig mé nárbh ea. Ansin mhínigh mé dó gur ar an urlár a chaithim MO chuid éadaí de ghnáth.

Piocann Mama suas iad ansin agus tugann sí síos an staighre iad chun iad a ní agus a thriomú.

Ansin, tagann siad ar ais agus iad fillte go néata aici.

Dúirt mé le hUncail Charlie an fáinne a thabhairt ar ais agus an t-airgead a thabhairt DOMSA ina áit.

Ansin labhair Mama amach. Dúirt sí le hUncail Charlie gur cheap sí gur AN-SMAOINEAMH a bhí ann.

Ansin dúirt sí go mbeinn ag Ní mo chuid éadaí féin as seo amach. Go bunúsach, fuair Uncail Charlie tuilleadh oibre dom don Nollaig.

Fuair mé drochbhronntanais amach is amach i mbliana. Rinne mé iarracht mhór bheith go deas le daoine ar mhaithe le bronntanais mhaithe a fháil faoi Nollaig.

Ó tharla go bhfuil orm mo chuid éadaí féin a ní anois, tá mé SÁSTA go bhfuil neart acu agam. Seans go n-éireoidh liom an scoilbhliain ar fad a chur isteach sula rithfidh mé amach as éadaí glana.

<u>Dé Luain</u>

Fuair mé féin agus Rowley drochscéala ag an stad bus inniu. Bhí píosa páipéir i bhfostú ar an gcuaille ag tabhairt le fios go raibh slí an bhus "athzónáilte" ón lá inniu amach. Ciallaíonn sé sin go bhfuil orainn SIÚL ar scoil.

Bhuel, ba mhaith liom labhairt leis an té a rinne an cinneadh SIN, mar tá muide beagnach ceathrú míle ón scoil.

B'éigean dúinn rith maidin inniu chun bheith ann in am. An rud ba MHEASA ná go ndeachaigh an bus tharainn agus é lán le daltaí ó Shráid Whirley, an chomharsanacht atá díreach taobh linn.

Rinne daltaí Shráid Whirley fuaimeanna moncaithe agus iad ag dul tharainn, rud a chuir olc orainn, ó tharla gurbh é sin an rud a bhíodh MUIDE a dhéanamh LEOSAN.

Is drochsmaoineamh é daltaí a chur ag siúl ar scoil. Faigheann muid an oiread obair bhaile na laethanta seo go mbíonn ár málaí scoile chomh trom gurb ionann iad is tonna meáchain ar do dhroim.

Agus tá a éifeacht sin le feiceáil tar éis píosa. Ní gá ach breathnú ar Rodrick agus a chairde.

Ós ag caint ar dhéagóirí mé, bhí bua mór ag Daid inniu. Is é Lenwood Heath an déagóir is measa sa cheantar agus bíonn sé féin agus Daid in árach a chéile. Chuir Daid fios ar na póilíní leathchéad uair mar gheall ar Lenwood Heath.

Is cosúil gur éirigh tuismitheoirí Lenwood bréan de agus gur chuir siad san arm é.

Cheapfá go mbeadh Daid sásta leis sin ach ní dóigh liom go ndéanfaidh sé suaimhneas go dtí go mbeidh gach déagóir ar domhan sa phríosún, nó in Alcatraz fiú. Rodrick san áireamh.

Inné thug Mama agus Daid airgead do Rodrick chun leabhair a cheannach don Ardteist, ach d'úsáid sé é chun tatú a cheannach dó féin.

KLUJEEN
LAWN

Tá tamall eile ormsa go mbeidh mé i mo dhéagóir. Ach a luaithe a tharlóidh sé, beidh Daid ag déanamh iarracht mé a dhíbirt.

Dé Luain
Le seachtain anuas, tá Manny ag éirí i lár na hoíche agus ag dul síos an staighre.

In áit é a chur ar ais a chodladh, tugann Mama
cead dó breathnú ar an teilifís linn.

Níl sé ceart ná cóir, mar go mbíonn ormsa
breathnú ar chláir a thaitníonn le Manny ansin.

Nuair a bhí mise óg ní raibh cead agam éirí as
an leaba. Rinne mé é uair nó dhó, ach chuir Daid
stop leis láithreach bonn.

Bhí an leabhar seo ag Daid a léadh sé dom
gach oíche, "An Crann Flúirseach". Leabhar
maith a bhí ann ach bhí pictiúr den údar, Shel
Silverstein, ar a chúl.

Ach ba chosúla le buirgléir nó foghlaí mara é ná údar leabhair do leanaí.

Caithfidh go raibh a fhios ag Daid gur chuir an pictiúr faitíos orm, mar oíche amháin nuair a d'éirigh mé as an leaba, dúirt sé —

D'oibrigh sé sin. Níor éirigh mé as an leaba
RIAMH ó shin, fiú nuair a bhíonn orm dul chuig
an leithreas.

Ní dóigh liom go léann Mama agus Daid leabhair
Shel Silverstein le Manny, agus sin an fáth a
mbíonn sé de shíor ag éirí.

Chuala mé cúpla ceann de na scéalta a léann siad
do Manny, agus is seift airgid ar fad atá ar bun
ag na húdair sin.

I dtosach báire, is fíorbheagán focal atá iontu,
mar sin, ní thógfadh sé ach cúpla soicind ceann a
scríobh.

BÉIRÍN BEAG TUIRSEACH,
BÉIRÍN INA LUÍ.

BÉIRÍN INA CHODLADH,
AR FEADH NA hOÍCH'.

AN CRÍOCH

Dúirt mé le Mama é agus ba é an freagra a bhí aici ná gur cheart dom féin ceann a scríobh má cheap mé go raibh sé chomh héasca sin.

Agus sin é díreach an rud a rinne mé. Agus ní raibh sé deacair ach oiread. Níl ann ach carachtar le hainm gonta a chumadh agus a chinntiú go bhfoghlaimíonn sé ceacht ag deireadh an leabhair.

Níl orm anois ach é a sheoladh chuig foilsitheoir agus fanacht leis an airgead teacht isteach.

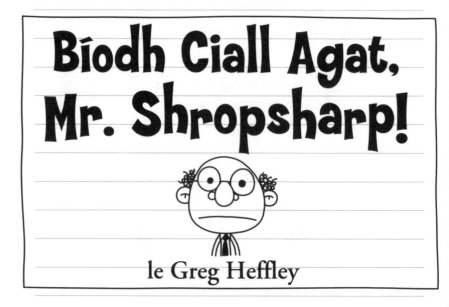

Bíodh Ciall Agat, Mr. Shropsharp!

le Greg Heffley

Fadó, fadó, bhí fear ann darbh ainm Mr. Shropsharp. Bhí a cheann lán de smaointe craiceáilte.

Lá amháin, chuaigh Mr. Shropsharp amach ina charr.

Ach ansin…

An dtuigeann tú mé? An t-aon rud a thug mé faoi deara nuair a bhí sé críochnaithe agam ná nach raibh aon véarsaíocht ann. Ach bheadh airgead breise le híoc liom as é SIN a dhéanamh.

Dé Sathairn

Bhuel, tar éis coicís a chaitheamh ag siúl ar scoil, bhí mé ag súil go mór le dhá lá a chaitheamh gan rud ar bith a dhéanamh.

An rud is measa faoin teilifís ar an Satharn ná nach mbíonn air ach babhláil agus galf. Agus tagann an ghrian tríd an bhfuinneog, agus ní féidir an scáileán a fheiceáil i gceart.

SIN BÓGAÍ, A SHEÁIN!

Inniu bhí mé ag iarraidh an cainéal a athrú ach bhí an cianrialtán thall ar an mbord. Bhí mé compordach agus níor theastaigh uaim éirí.

Rinne mé iarracht an Fórsa a úsáid chun an
cianrialtán a ardú i mo threo, cé gur thriail mé
é míle uair cheana agus níor oibrigh sé riamh.
Inniu THRIAIL mé ar feadh ceathrú uaire, ach
níor éirigh liom é a dhéanamh. Ní raibh a fhios
agam go raibh Daid ina sheasamh taobh thiar
díom an t-am ar fad.

Dúirt sé liom dul amach agus beagán aclaíochta
a dhéanamh. Dúirt mé leis go mbím ag aclaíocht
go MION MINIC agus gur úsáid mé an meaisín
meáchain a fuair sé dom maidin inniu.

Ach ba cheart dom rud éigin eile a bheith ráite
agam, mar ba léir nár chreid sé mé.

Is é an fáth go mbíonn Daid ag caint faoi aclaíocht ná go bhfuil triúr mac ag a bhainisteoir, Mr Warren, agus tá an triúr acu an-mhaith ag imirt spóirt éagsúla. Feiceann Daid iad taobh amuigh de theach Mr Warren gach lá nuair a bhíonn sé ar a bhealach abhaile ón obair.

Ceapaim go mbíonn díomá ar Dhaid ansin nuair a fheiceann sé a thriúr mac FÉIN.

Ar aon nós, mar a dúirt mé, dhíbir sé as an teach inniu mé. Bhí mé díomhaoin ar dtús ach ansin smaoinigh mé ar rud éigin maith le déanamh.

Inné ag am lóin, bhí Albert Sandy ag caint ar an mbuachaill seo as an tSín nó an Téalainn nó áit éigin a bhí in ann léim sé troithe suas san aer gan stró. Thochail sé poll a bhí trí orlach síos sa talamh agus léim sé isteach agus amach as an bpoll sin céad uair. An chéad lá eile, thochail sé síos níos faide agus léim sé isteach agus amach as SIN. Faoin gcúigiú lá, ba gheall le cangarú é.

Dúirt cúpla duine le hAlbert go raibh sé lán de chacamas, ach bhí GO LEOR céille ag baint lena chuid cainte. Dá ndéanfainn an méid a dúirt Albert agus cúpla lá a chur leis, ní bheadh fadhb agam le bulaithe níos mó.

AN MISE ATÁ Á LORG AGAIBH?

Fuair mé sluasaid sa gharáiste agus d'aimsigh mé spota maith sa ghairdín le dul ag tochailt. Ach sula raibh tús curtha agam leis an obair, tháinig Mama amach ag cur ceisteanna orm.

Dúirt mé léi go raibh mé ag tochailt poill ach ar ndóigh níor thaitin an smaoineamh SIN léi. Agus thug sí fiche cúis nach raibh cead agam.

Dúirt sí go raibh sé contúirteach mar gheall ar chábláí leictreacha agus píopaí séarachais faoin talamh. Ansin chuir sí iallach orm a ghealladh nach ndéanfainn aon pholl sa ghairdín. Agus gheall mé.

Isteach léi, ach choinnigh sí súil orm ón bhfuinneog. Bhí a fhios agam go mbeadh orm dul agus poll a thochailt in áit éigin eile. Chuaigh mé chuig teach Rowley.

Ní raibh mé ag teach Rowley le tamall mar gheall ar Fregley. Tá Fregley ag caitheamh go leor ama taobh amuigh dá theach le déanaí agus bhí sé ann arís inniu.

Shocraigh mé gan breathnú ina threo agus coinneáil orm agus d'oibrigh an cleas sin.

Nuair a shroich mé teach Rowley, d'inis mé dó faoin bplean agus go mbeadh muid ar nós beirt ninja tar éis cúpla lá ag léim amach as an bpoll.

Ach ní raibh Rowley an-tógtha leis an smaoineamh. Dúirt sé go mbeadh a thuismitheoirí crosta mura n-iarrfadh sé cead orthu ar dtús poll deich dtroithe a thochailt ina ngairdín.

Rud amháin atá cinnte agus sin NACH dtaithníonn mo chuid smaointe le tuismitheoirí Rowley. Dúirt mé leis nach mbeadh orainn ach an poll a chlúdach le pluid agus nach bhfaigheadh a thuismitheoirí amach faoi go deo. Ghlac Rowley leis sin.

Bhuel, b'fhéidir go bhfaighidís amach LÁ ÉIGIN faoi. Ach thógfadh sé trí nó ceithre mhí orthu.

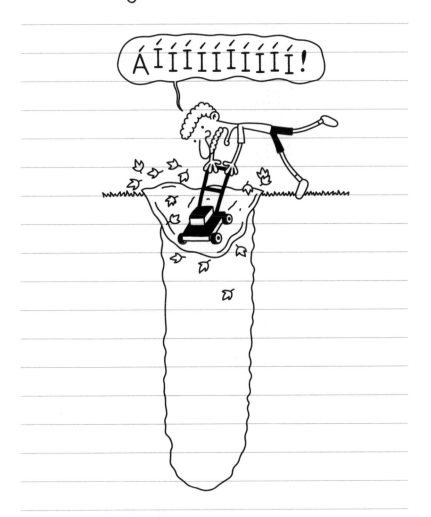

D'aimsigh muid spota maith sa ghairdín ach bhí deacracht ann.

Bhí an talamh REOITE, agus ní raibh muid in ann é a bhriseadh.

Thriail mé é ar feadh nóiméid ach shín mé an tsluasaid chuig Rowley. Bhí deacracht ag Rowley leis freisin ach thug mé breis ama dósan chun go n-aireodh sé go maith faoi féin.

D'éirigh beagán níos fearr leisean ná liomsa, ach stop sé nuair a thit an dorchadas.

Sílim go mbeidh orainn triail eile a bhaint as seo amárach.

Dé Domhnaigh
Chaith mé an oíche ag smaoineamh ar an bpoll. Beidh mé féin agus Rowley ag an gcoláiste sula mbeidh an poll seo deich dtroithe ar doimhne.

Smaoinigh mé ar rud DIFRIÚIL le déanamh. Chonaic mé clár ar an teilifís inar líon eolaithe "taisceadán todhchaí" le stuif ar nós sean-nuachtáin, DVDanna agus rudaí mar sin. Ansin chuir na heolaithe an taisceadán sa talamh. An smaoineamh a bhí leis ná go n-aimseodh daoine é faoi cheann céad bliain agus go dtuigfidís mar a mhair daoine fadó.

TAISCEADÁN
TODHCHAÍ

NÁ HOSCAIL
GO 2300 A.D.

D'inis mé do Rowley faoi mo smaoineamh agus thaitin sé leis. I ndáiríre, ceapaim gur mó sásta a bhí sé nach raibh muid chun poll mór domhain a thochailt níos mó.

D'iarr mé air cúpla rud a thabhairt dom le cur sa taisceadán agus chaill sé a mhisneach.

Dúirt mé leis cúpla ceann dá bhronntanais Nollag a chur ann agus go mbeadh stuif iontach le fáil ag na daoine nuair a d'osclóidís an taisceadán sa todhchaí. Dúirt sé nach raibh sé ceart ná cóir nach raibh mise ag cur mo bhronntanais Nollag FÉIN sa taisceadán. Dúirt mé leis go gceapfadh daoine sa todhchaí go raibh muid an-leamh dá n-osclóidís an bosca agus éadaí agus leabhair a fheiceáil istigh ann.

Ansin dúirt mé le Rowley go gcuirfinn trí euro de mo chuid airgid FÉIN ann. Leis sin, d'aontaigh sé ceann dá chluichí físe nua agus cúpla rud eile a chur isteach sa taisceadán.

Bhí plean rúnda agam nach raibh mé chun a insint do Rowley. Thuig mé go raibh mé glic ag cur airgead sa taisceadán mar go mbeadh luach i bhfad NÍOS MÓ ag €3 sa todhchaí.

Tá súil agam go dtiocfaidh cibé duine a fhaigheann é ar ais chugam le luach saothair mór.

Scríobh mé nóta beag ionas go mbeidh a fhios ag an duine cé leis a nglacfaidh siad buíochas.

Don té lena mbaineann:
Airgead ó
Greg Heffley
12 Sráid Suirí

Fuair mise agus Rowley bosca bróg chun an stuif a chur isteach ann. Dhún muid é go teann ansin le téip.

Scríobh mé nóta ar an taobh amuigh ansin ionas nach n-osclófaí an bosca róluath.

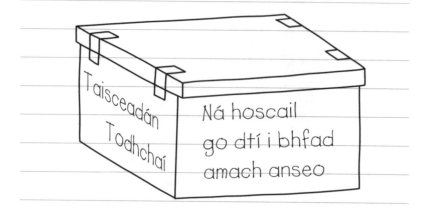

Taisceadán Todhchaí

Ná hoscail go dtí i bhfad amach anseo

Ansin, chuir muid é sa pholl a thochail muid inné agus rinne muid iarracht é a chlúdach.

Faraor nach ndearna Rowley iarracht níos fearr inné mar ní raibh an taisceadán curtha ródhomhain sa talamh againn. Tá súil agam nach bhfeicfidh aon duine é mar go gcaithfidh sé fanacht ann ar feadh céad bliain.

Dé Luain
Bhí drochthús le mo sheachtain. Nuair a d'éirigh mé, ní raibh róba folctha Mhama san áit ar fhág mé é le taobh an dorais.

D'fhiafraigh mé di ar thóg sí ar ais é, ach dúirt sí nár thóg. Tá mé ag ceapadh go raibh baint éigin ag Daid leis seo.

Cúpla lá ó shin, smaoinigh mé ar bhealach chun barr feabhais a chur ar mo leaba os cionn an téitheora, ach ní dóigh liom go raibh Daid an-tógtha le mo smaoineamh.

Ceapaim gur chuir sé an róba folctha i bhfolach orm. Anois agus mé ag smaoineamh siar, thug sé cuairt ar an láthair athchúrsála roimh an dinnéar aréir.

MÁ FUAIR sé réidh leis an róba folctha, ní hé seo an chéad uair go bhfuair sé réidh le maoin phearsanta duine eile. Mar a dúirt mé cheana, tá Manny ag iarraidh éirí as a ghobán.

Maidin inné fuair Daid réidh le gach aon cheann de ghobáin Manny.

Chuaigh Manny craiceáilte. In iarracht é a shuaimhniú, tharraing Mama amach a sheanphluid a dtugann sé "Ruidín" uirthi.

Chniotáil Mama an phluid do Manny dá chéad lá breithe agus bhaist sé Ruidín uirthi.

Thug Manny leis i ngach áit í. Níor thug sé cead do Mhama í a thógáil, fiú lena Ní.

Thosaigh an phluid ag titim as a chéile agus faoin am go raibh Manny dhá bhliain d'aois bhí sí lom agus clúdaithe le smaois.

Bín an uair a thosaigh Manny ag tabhairt
"Ruidín" uirthi.

Le cúpla lá anuas, tá Manny ag dul thart le
Ruidín, díreach mar a bhíodh á dhéanamh aige
agus é ina bhabaí agus tá mé ag fanacht glan as
a bhealach chomh fada is féidir liom.

Dé Céadaoin

Tá mé tinn tuirseach de bheith ag siúl ar scoil ar
maidin agus d'iarr mé ar Mhama síob a thabhairt
dom féin agus Rowley inniu. An fáth nár iarr mé
uirthi níos túisce ná go bhfuil a carr clúdaithe
le greamáin aisteacha agus bheinn i mo cheap
magaidh dá bhfeicfeadh na daltaí ar scoil iad.

Rinne mé iarracht iad a ghlanadh den charr, ach tá siad i bhfostú go maith agus níor éirigh liom.

Fuair muid síob léi inniu ach d'iarr mé uirthi muid a fhágáil ar CHÚL na scoile.

Ach d'fhág mé mo mhála sa charr trí thimpiste agus thug Mama isteach é tar éis am lóin. Agus roghnaigh sí INNIU chun tosú ag an spórtlann.

Nach orm a bhí an mí-ádh. Tar éis am lóin an t-aon uair a bhíonn Holly Hills sa rang liom agus tá mé ag iarraidh imprisean maith a dhéanamh uirthi i mbliana. Chuir an eachtra seo thart ar trí seachtaine ar gcúl mé.

Ní mé an t-aon duine atá ag iarraidh imprisean a dhéanamh uirthi. Tá mé ag ceapadh go bhfuil gach buachaill sa rang ina diaidh.

Is í Holly an ceathrú cailín is dathúla sa rang, ach tá buachaillí ag an triúr is dathúla cheana féin. Mar sin, tá go leor de na buachaillí ag iarraidh í a mhealladh, cosúil liomsa.

Tá mise ag iarraidh cur chuige difriúil ó na bómáin eile a úsáid. Agus is é an cur chuige sin ná: greann.

Is dúramáin na buachaillí eile agus ní thuigeann siad cad is jóc ann. Chun tuairim a thabhairt duit faoina bhfuil i gceist agam, seo sampla den ghreann sa scoil –

Aon uair a bhíonn Holly thart, tosaím ag insint na jócanna is fearr atá agam.

Úsáidim Rowley mar chomhpháirtí grinn, agus tá sé traenáilte agam chun cúpla jóc maith a insint.

An t-aon fhadhb ná go bhfuil Rowley ag fáil beagáinín santach, agus níl a fhios agam an oibreoidh an pháirtíocht seo san fhadtéarma dúinn.

Dé hAoine

Bhuel, d'fhoghlaim mé mo cheacht faoi shíob a fháil ó Mhama agus tá mé ag siúl arís. Ach nuair a bhí mé ag siúl abhaile le Rowley tráthnóna, ní raibh a fhios agam an mbeinn in ann dul suas an chocán go dtí mo theach. Agus d'iarr mé ar Rowley mé a iompar ar a dhroim.

Ní raibh sé an-tógtha leis an smaoineamh ach chuir mé i gcuimhne dó gurb é seo an cineál rud a dhéanann cairde dá chéile. Ghéill sé sa deireadh nuair a thairg mé a mhála a iompar dó.

PUTH
PUTH

Ceapaim nach ndéanfaidh sé arís é áfach mar go raibh sé tugtha traochta faoin am gur shroicheamar mo theachsa. Má tá an scoil chun fáil réidh leis an mbus, is é an rud is lú is féidir leo a dhéanamh ná ardaitheoir a chur ar fáil don chnocán sin.

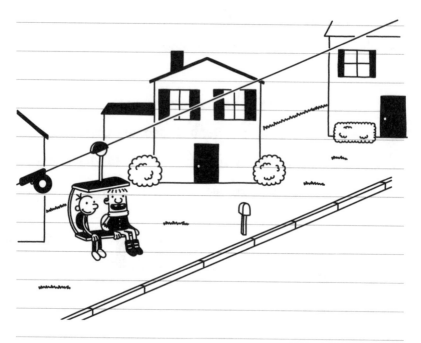

Chuir mé cúig ríomhphost chuig an bpríomhoide faoi seo, ach níl rud ar bith cloiste ar ais agam go fóill.

Nuair a shroich mé an teach, bhí mise mé féin tuirseach. Déanaim néal codlata anois gach lá tar éis na scoile.

IS BREÁ liom an codladh beag seo. Is é an t-aon bhealach é chun mo chuid fuinnimh a fháil ar ais agus téim a chodladh beagnach gach lá nuair a shroichim an teach.

Is sórt saineolaí mé anois ar chodladh. Nuair atá mé i mo chodladh, ní dhúiseodh rud ar bith mé.

Níl ach duine amháin atá níos fearr ag codladh ná mise agus sin RODRICK. Cúpla seachtain ó shin, bhí ar Mhama leaba nua a ordú do Rodrick mar go raibh an ceann eile caite. Tháinig lucht an tsiopa chun a sheanleaba a chrochadh leo.

Nuair a tháinig siad, bhí Rodrick ina chodladh. Thóg siad an leaba, agus chodail sé ar an urlár i lár fhráma folamh na leapa.

Tá faitíos orm go gcuirfidh Dad cosc ar an néal codlata tar éis na scoile. Tá mé ag ceapadh go bhfuil sé bréan de bheith ár ndúiseacht don dinnéar gach oíche.

Dé Máirt
Is trua liom é a rá, ach ceapaim go bhfuil an néal codlata seo ag cur as do m'obair scoile.

Cheana dhéanainn m'obair bhaile tar éis na scoile agus bhreathnaínn ar an teilifís san oíche. Le déanaí tá mé ag déanamh m'obair bhaile AGUS mé ag breathnú ar an teilifís ag an am céanna.

Bhí aiste cheithre leathanach bitheolaíochta agam aréir, ach bhí clár an-spéisiúil ar an teilifís. Mar sin, bhí orm an rud ar fad a scríobh le linn an tsosa ar scoil inniu.

Ní raibh mórán ama taighde agam, ach rinne mé an scríobh an-mhór ionas go líonfadh an méid a bhí agam na ceithre leathanach. Tá mé cinnte go maith nach mbeidh Ms. Nolan sásta leis sin.

AN SIMPEANSAÍ

Aiste cheithre leathanach le

GREG
HEFFLEY

1

Seo an
chuma atá
ar shimpeansaí

Beidh mé
ag scríobh faoi
shimpeansaithe
san aiste seo.

2

Inné fuair mé "náid" i scrúdú Tíreolaíochta. Ach tá sé thar a bheith deacair bheith ag staidéar do scrúdú de chineál ar bith nuair atá peil ar an teilifís.

Le bheith fírinneach leat, níor cheart go mbeadh orainn rudaí a fhoghlaim de ghlan mheabhair ar aon nós, ó tharla go mbeidh róbat pearsanta ag gach duine amach anseo a mbeidh na freagraí ar fad aige.

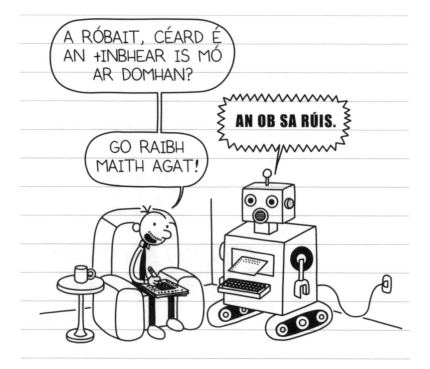

Ós ag caint ar mhúinteoirí mé, bhí cantal aisteach ar Mrs. Craig inniu. Sin mar go raibh an foclóir mór a bhíonn ar a deasc imithe ar iarraidh.

Tá mé cinnte gur thóg duine éigin ar iasacht é, ach "goid" a bhí Mrs. Craig ag tabhairt ar an méid a bhí tarlaithe.

Dúirt sí mura mbeadh an foclóir ar ais ar a deasc roimh dheireadh an ranga go gcoinneodh sí gach duine sa rang tar éis na scoile.

Ansin dúirt sí go raibh sí chun an rang a fhágáil agus dá bhfágfadh an "gadaí" an foclóir ar ais ar a deasc nach mbeadh a thuilleadh faoi agus nach mbeadh duine ar bith thíos leis.

Chuir Mrs. Craig Patty Farrell i bhfeighil an ranga agus d'imigh sí. Tógann Patty a post mar fheighlí an-dáiríre agus ní dhéanann duine ar bith aon rud as bealach.

Bhí mé ag súil go bhfágfaí an foclóir ar ais go tapa mar go raibh mé tar éis dhá bhosca de bhainne seacláide bheith agam don lón.

Ach níor fágadh ar ais é. Agus, ar ndóigh, choinnigh Mrs. Craig istigh muid tar éis na scoile. Ansin dúirt sí go gcoinneodh sí istigh muid gach lá go bhfágfaí an foclóir ar ais.

Dé hAoine
Tá muid coinnithe istigh le trí lá anois agus níl tásc ná tuairisc ar an bhfoclóir fós. Bhí Patty Farrell tinn inniu agus chuir Mrs. Craig Alex Aruda i bhfeighil an ranga nuair a bhí sí imithe.

Is dalta maith é Alex ach níl faitíos roimhe mar atá roimh Patty Farrell. A luaithe a d'fhág Mrs. Craig, bhí an seomra ranga ina chíor thuathail.

SONC

ALEX
ARUDA

Rinne cúpla duine a bhí bréan den phionós iarracht a fháil amach cé a thóg foclóir Mrs. Craig.

Ba é Corey Lamb an chéad dalta a cheistigh siad. Bhí seisean ar bharr an liosta mar go bhfuil sé cliste agus úsáideann sé focail mhóra.

D'admhaigh Corey go raibh sé ciontach, cé nach raibh. Is cosúil gur airigh sé faoi bhrú faoistin a dhéanamh.

Ba é Peter Lynn an chéad duine eile agus d'admhaigh seisean freisin gur thóg sé an foclóir.

Mheas mé gur ghearr go mbeadh siad do mo cheistiú-sa freisin. Bhí a fhios agam go mbeadh orm smaoineamh go TAPA.

Tuigim ó leabhair Sherlock Sammy go dteastaíonn saoithín uait i gcás mar seo leis an scéal a réiteach. Bhí a fhios agam go n-oibreodh Alex Aruda amach é gan stró.

Chuaigh mé féin agus cúpla duine eile anonn chuig Alex chun cúnamh a iarraidh air an cás a réiteach.

D'iarr muid cabhair air chun a fháil amach cé a thóg foclóir Mrs. Craig, ach ní raibh tuairim aige céard air a raibh muid ag CAINT. Bhí Alex chomh sáite ina leabhar le cúpla lá anuas nár thug sé faoi deara go raibh rud ar bith aisteach ag tarlú ina thimpeall.

Fanann Alex istigh ag léamh gach lá tar éis na scoile agus níor chuir an pionós isteach ar a shaol beag ná mór.

Faraor, tá leabhair Sherlock Sammy léite ag Alex freisin agus, mar sin, dúirt sé go gcabhródh sé linn ach cúig euro a thabhairt dó. Bhuel, níl sé sin ceart ná cóir, mar nach mbíonn Sherlock Sammy ag iarraidh ach caoga cent. Ach d'aontaigh mé féin agus na daltaí eile gurbh fhiú é agus chuir muid cúig euro le chéile eadrainn.

Chuir muid na fíricí ar fad faoi bhráid Alex, cé nach mórán a bhí againn. Ansin, d'iarr muid air muid a stiúradh sa treo ceart.

Bhí mé ag súil go dtosódh Alex ag tógáil nótaí agus ag smaoineamh, ach ní dhearna sé ach an leabhar a bhí á léamh aige a dhúnadh agus an clúdach a thaispeáint dúinn. Agus CÉARD a bhí ann ach foclóir Mrs. Craig.

Dúirt sé go raibh sé ag déanamh staidéir air chun ullmhú don chomórtas náisiúnta litrithe. Faraor NACH RAIBH an t-eolas sin againn SULAR thug muid cúig euro dó. Ar aon nós, ní raibh aon am gearáin againn mar go mbeadh Mrs. Craig ar ais nóiméad ar bith.

Rug Corey Lamb ar an leabhar agus leag sé ar ais ar dheasc Mrs. Craig é. Ach shiúil sí isteach ag an nóiméad céanna sin.

Níor chloígh Mrs. Craig lena gealltanas nach mbeadh aon chaint eile faoi agus beidh Corey Lamb á choinneáil istigh tar éis na scoile go ceann trí seachtaine eile. Ar an taobh dearfach de, beidh Alex Aruda ann chun cuideachta a choinneáil leis.

Dé Máirt

Inné sa bhialann, nuair a d'oscail mé mo lón, bhí
DHÁ THORADH ann – gan rud milis ar bith.

Fadhb mhór a bhí ansin. Cuireann Mama brioscaí
nó rud eile milis i mo lón i gcónaí agus sin
an t-aon rud a ithim. Mar sin, ní raibh aon
fhuinneamh agam don lá.

Tráthnóna, d'fhiafraigh mé de Mhama faoi na torthaí. Dúirt sí go gceannaíonn sí dóthain rudaí milse don tseachtain ar fad agus gur dóigh gur thóg duine againn as an gcófra sa seomra níocháin iad.

Tá mé cinnte go gceapann Mama gur mise is ciontaí, ach creid uaimse é, tá mo cheacht foghlamtha agamsa faoi SIN.

Anuraidh thóg mé na rudaí milse as an seomra níocháin agus d'íoc mé go daor as nuair a chuir Mama rud eile i mo lón don scoil.

AR MHAITH LIBH CEANN DE MO CHUID CROUTONS?

Tharla an rud céanna inniu: dhá thoradh, gan rud ar bith milis.

Mar a dúirt mé, bím ag brath ar an siúcra le haghaidh fuinnimh. Ba bheag nár thit mé i mo chodladh i rang Mr. Watson, ach dhúisigh mé go tobann nuair a bhuail mo chloigeann cúl na cathaoireach.

BHÚÚÁÁÁ!

Dúirt mé le Mama nach raibh sé cóir go raibh ormsa fulaingt nuair a bhí duine eile ag ithe na rudaí milse. Ach dúirt sí nach mbeadh sí ag siopadóireacht arís go dtí deireadh na seachtaine agus nach raibh aon dul as agam.

Níor chuidigh Daid ach an oiread. Nuair a labhair mé leis, chum sé pionós don té a bhí ag goid: "cosc ar dhrumaí agus ar chluichí físe ar feadh seachtaine." Is léir go gceapann sé gur mise nó Rodrick atá ann.

NÍ MISE atá ann, ach seans go bhfuil an ceart aige faoi Rodrick. Nuair a chuaigh Rodrick chuig an seomra folctha tar éis an dinnéir, sheiceáil mé an raibh aon fhianaise ina sheomra.

Ach fad a bhí mé ann, chuala mé é ag teacht anuas an staighre. B'éigean dom dul i bhfolach mar go dtéann Rodrick craiceáilte nuair a bheireann sé orm ina sheomra, mar a tharla inné.

Díreach sular shroich sé bun an staighre, léim mé
isteach sa chófra faoin deasc. Tháinig Rodrick
isteach sa seomra, luigh sé ar a leaba agus
ghlaoigh sé ar a chara Ward.

Caitheann an bheirt sin SÍORAÍOCHT ag
comhrá, agus cheap mé go mbeadh orm an oíche a
chaitheamh sa chófra.

Bhí siad ag argóint faoin gceist an bhféadfadh
duine múisc a chur aníos agus é ina sheasamh ar
a chloigeann. Bhí an t-ádh orm gur imigh an
chumhacht as fón Rodrick. Nuair a chuaigh sé
amach chun fón eile a fháil, d'éalaigh mise.

Ní fadhb a bheadh san easpa rudaí milse dá mbeadh airgead agam. Dá mbeadh, d'fhéadfainn rudaí a cheannach ó mheaisín na milseán ar scoil.

Ach, níl pingin rua agam faoi láthair. Chaith mé mo chuid airgid uilig ar stuif nach féidir liom a ÚSÁID fiú.

Thart ar mhí ó shin, chonaic mé fógra le haghaidh rudaí iontacha ar chúl greannáin agus cheap mé go n-athróidís mo shaol AR FAD.

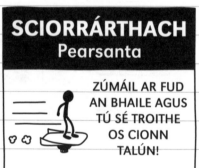

Fuair mé an stuif ar an bpost thart ar choicís ó shin.

Fuair mé amach go mbeadh orm mo chuid airgid FÉIN a chur sa Mheaisín Airgid le go dtiocfadh aon airgead amach as. Bhí mé cinnte go gciallódh an Meaisín Airgid nach mbeadh orm aon jab a fháil go deo.

Ní raibh le feiceáil ach ceo trí na spéaclaí X-Ghatha.

Ba ghliogar ceart a bhí in Athraigh do Ghuth, cé gur lean mé na treoracha a bhí sa leabhar.

Ba é an sciorrárthach pearsanta ba mhó a lig síos mé áfach. Cheap mé nach mbeadh orm siúl abhaile ón scoil níos mó nuair a bheadh sé seo agam.

Bhuel, tháinig an pacáiste inniu agus ní raibh sciorrárthach ann. Ní raibh ann ach plean chun sciorrárthach a THÓGÁIL agus bhí mé i sáinn ag Céim a hAon.

Céim a hAon:

Faigh inneall dé-thuirbíne.

Ní chreidim gur féidir le daoine bréaga a insint do pháistí i bhfógraí mar sin. Smaoinigh mé ar aturnae a fháil chun an dlí a chur orthu, ach ní raibh an t-airgead agam mar gur theip ar an Meaisín Airgid.

Déardaoin
Inniu, nuair a tháinig mé isteach ón scoil, bhí Mama ag fanacht liom agus ní mó ná sásta a bhí sí. Bhí tuairisc lárthéarma faighte aici ón scoil agus í oscailte aici sula raibh deis agam í a leasú.

Thaispeáin sí an tuairisc dom agus ní raibh sí go maith. Dúirt Mama go mbeadh uirthi labhairt le DAID faoi nuair a thiocfadh sé abhaile.

Tá AN GHRÁIN agam bheith ag fanacht ar Dhaid nuair atá mé i dtrioblóid. Théinn i bhfolach sa chófra roimhe seo, ach smaoinigh mé ar chleas níos fearr. Anois, nuair atá mé i dtrioblóid, tugaim cuireadh chun dinnéir do Mhamó mar nach dtabharfaidh Daid amach dom nuair atá sise thart.

GO RAIBH MAITH AGAT, A STÓIRÍN.

Ag dinnéar, shuigh mé sa suíochán le taobh Mhamó.

70

Ar an dea-uair, níor luaigh Mama mo thuairisc. Agus ansin, nuair a d'fhág Mamó chun dul chuig an mBiongó, chuaigh mise in éineacht léi.

Bhí údar EILE agam dul in éineacht le Mamó. Theastaigh bealach uaim chun airgead a dhéanamh.

Mheas mé gurbh fhiú cúpla uair an chloig a chaitheamh in éineacht le Mamó agus a cairde dá n-éireodh liom mo dhóthain airgid a fháil chun rudaí milse a cheannach ar scoil.

Is SAINEOLAITHE Biongó iad Mamó agus a cairde, agus tá siad an-dáiríre go deo faoi. Is iomaí gaireas agus giúirléid atá acu chun cuidiú leo buachan.

Tá duine de chairde Mhamó chomh maith sin go mbíonn na huimhreacha de ghlanmheabhair aici agus NÍ GÁ di a cárta a mharcáil fiú.

Ar chúis éigin, ní raibh Mamó agus a cairde ag buachan rud ar bith anocht. Ach go tobann, d'éirigh liomsa gach uimhir a fháil. Bhéic mé amach "BIONGÓ" agus seiceáladh mo chárta.

Ach bhí botún déanta agam agus ní raibh rud ar bith buaite agam. D'fhógair fear an tí nach raibh dada agam agus bhí gach duine sásta go bhféadfadh an cluiche leanúint ar aghaidh.

Dúirt Mamó liom gan "Biongó" a rá chomh hard arís mar nach maith leis na gnáthimreoirí nuair a bhíonn an bua ag duine nua.

Cheap mé gur ag magadh a bhí sí, ach ansin cuireadh duine de na gnáthimreoirí anall chugam chun faitíos a chur orm. Agus rinne sí sárjab de sin.

Dé hAoine
Bhuel, ní raibh lá iontach agam inniu. I dtosach báire, theip orm i mo scrúdú Eolaíochta. Faraor nach ndearna mé staidéar aréir in áit dul chuig an mBiongó ar feadh ceithre huaire an chloig.

Thit mé i mo chodladh sa rang inniu agus b'éigean do Mr. Watson mé A CHROITHEADH chun mé a dhúiseacht. Mar phionós, b'éigean dom suí ag barr an tseomra.

Ba chuma liom mar go raibh sé níos éasca codladh thuas ansin.

Ach níor dhúisigh duine ar bith mé tar éis an ranga agus chodail mé go dtí gur thosaigh an CHÉAD rang eile.

Dhúisigh mé i rang Mrs. Lowry. Chuir Mrs. Lowry pionós orm agus caithfidh mé fanacht istigh tar éis na scoile ar an Luan.

Bhí mé ar crith tráthnóna mar gheall ar an easpa siúcra i mo cholainn ach ní raibh aon airgead agam le milseáin a cheannach.
Mar sin, rinne mé rud nach bhfuil mé bródúil as.

Chuaigh mé suas chuig teach Rowley agus thóg mé an taisceadán todhchaí as an talamh. Ach bhí mé i mbarr mo chéille.

Thug mé an taisceadán todhchaí ar ais chuig mo theach agus thóg mé an trí euro amach as. Chuaigh mé chuig an siopa agus cheannaigh mé deoch súilíneach, mála milseán agus barra seacláide.

Airím cineáilín go dona nár fhan an taisceadán todhchaí sa talamh ar feadh cúpla céad bliain. Ar an lámh eile, is breá an rud é gur éirigh le duine AGAINNE é a oscailt ó tharla go raibh stuif maith curtha againn ann.

Dé Luain

Bhí drogall orm roimh mo phionós tar éis na scoile. "Níor cheart domsa bheith istigh leis na bithiúnaigh seo," a dúirt mé liom féin. "Beidh siad seo ar fad sa phríosún amach anseo."

Shuigh mé sa suíochán amháin a bhí folamh, gar do Leon Ricket.

Ní hé Leon an buachaill is cliste ar scoil. Bhí pionós á chur air as an rud a rinne sé nuair a tháinig foiche isteach sa seomra ranga.

Ní raibh le déanamh ach suí ansin go raibh an t-am caite. Níl cead agat léamh ná obair bhaile ná RUD AR BITH a dhéanamh. Tá sé sin seafóideach, ó tharla gur theastaigh an t-am staidéir go géar ó chúpla duine.

Ba é Mr. Ray a bhí ag coinneáil súil orainn. Ach gach uair a d'fhéach Mr. Ray an bealach eile, chuir Leon a mhéar fhliuch isteach i mo chluas. Ach ní raibh sé sách cúramach agus uair amháin rug Mr. Ray air.

Dúirt Mr. Ray go mbeadh Leon i dtrioblóid MHÓR dá leagfadh sé lámh orm arís.

Bhí a fhios agam nach stopfadh Leon agus rinne mé cinneadh deireadh a chur leis. Bhain mé torann as mo bhosa ionas go gceapfadh Mr. Ray go raibh Leon tar éis mé a bhualadh.

Dúirt Mr. Ray go mbeadh ar Leon leathuair bhreise a chur isteach agus fanacht tar éis na scoile arís AMÁRACH.

Ar mo bhealach abhaile, bhí amhras orm an raibh an rud ceart déanta agam. Níl mé an-tapa ag rith agus níorbh fhada go mbeadh Leon amach i mo dhiaidh.

Dé Máirt

Thuig mé anocht gur thosaigh mo chuid fadhbanna AR FAD nuair a d'imigh na milseáin gan tásc ná tuairisc. Agus rinne mé cinneadh greim a fháil ar an ngadaí.

Bhí an tsiopadóireacht déanta ag Mama agus bhí neart milseán nua istigh sa seomra níocháin. Dá bharr sin, ba mhór an seans go mbeadh an gadaí thart.

Tar éis an dinnéir chuaigh mé isteach sa seomra níocháin. Chuaigh mé i bhfolach i gciseán folamh.

Leathuair an chloig ina dhiaidh sin, tháinig duine éigin isteach agus chas siad air an solas. Ní raibh ann ach Mama.

D'fhan mé ciúin fad a thóg sí na héadaí as an triomaitheoir. Ní fhaca sí mé agus chaith sí na héadaí tirime isteach i mo mhullach sa chiseán.

Amach léi, agus d'fhan mé san áit a raibh mé. D'fhanfainn ann ar feadh na hoíche dá gcaithfinn é.

Ach bhí na héadaí ón meaisín deas teolaí agus d'éirigh mé an-tuirseach. An chéad rud eile, bhí mé i mo chodladh.

Níl a fhios agam cá fhad a raibh mé ann, ach dhúisigh TORANN mé - bhí páipéar á bhaint de mhilseán.

Nuair a chuala mé an duine ag ithe, chas mé air mo thóirse agus rug mé ar an ngadaí.

Daid a bhí ann! Nach beag an t-iontas. Ba cheart go mbeadh a fhios agam. Tá sé siúd TUGTHA CEART do rudaí milse.

Thosaigh mé ag tabhairt amach dó, ach tháinig sé romham. Ní raibh fonn air labhairt faoin ngadaíocht. BHÍ sé ag iarraidh labhairt faoin bhfáth a raibh mé i mo luí i bhfo-éadaí mo Mhama i lár na hoíche.

Díreach ansin, chuala muid Mama ag teacht anuas an staighre.

Thuig an bheirt againn nár dhea-scéala é seo do cheachtar againn agus rug muid ar ghlaic brioscaí an duine agus d'éalaigh muid.

Dé Céadaoin

Bhí mé fós an-chrosta le Daid as na milseáin a ghoid agus bhí sé i gceist agam labhairt leis faoi anocht. Ach bhí sé sa leaba ag a 6:00 agus ní raibh aon deis agam.

Chuaigh sé a chodladh luath mar gur tharla rud éigin tar éis na hoibre a chuir as go mór dó. Nuair a bhí sé ag tabhairt isteach an post, tháinig ár gcomharsana, muintir Snella, anuas an bóthar lena mbabaí nua.

Seth atá ar an mbabaí agus tá sé thart ar dhá mhí d'aois.

Gach uair a mbíonn babaí nua acu, bíonn cóisir "leathlae breithe" acu agus faigheann na comharsana ar fad cuireadh chuige.

Ag gach cóisir leathlae breithe, déanann na daoine fásta ar fad iarracht an babaí a chur ag gáire. Déanann siad UILIG rudaí aisteacha mar a bheadh amadáin ann.

GÚ GÚ GÚ GÚ GÚ!

Bhí mé ag gach ceann de na cóisirí sin go dtí seo agus ní dhearna babaí ar bith acu gáire go fóill.

Tuigeann gach duine gurb í an chúis I nDÁIRÍRE go mbíonn na cóisirí seo acu ná go bhfuil siad ag iarraidh an duais €10,000 a bhaint ar "Pleidhcí & Pleotaí". Sin an clár teilifíse ar a mbíonn físeáin bhaile de dhaoine agus iad ag titim de dhréimirí agus stuif mar sin.

Tá muintir Snella ag súil go dtarlóidh rud éigin an-ghreannmhar ag an gcóisir agus go mbeidh sé acu ar fhístéip. Tá roinnt stuif maith faighte acu thar na blianta. Ag cóisir Sam Snella, scoilt treabhsar Mr. Bittner agus é ag léim san aer. Agus ag cóisir Scott Snella, bhí Mr. Odom ag siúl ar gcúl agus thit sé i linn snámha na bpáistí.

85

Chuir muintir Snella na físeáin sin isteach, ach ní bhfuair siad aon duais. Leanfaidh siad orthu ag táirgeadh páistí go mbuafaidh siad rud éigin.

Tá an GHRÁIN ag Daid a bheith i lár an aonaigh agus dhéanfadh sé rud ar bith gan amadán a dhéanamh de féin os comhair na gcomharsan. Go dtí seo, d'éirigh leis gach ceann de chóisirí mhuintir Snella a sheachaint.

Ag am dinnéir, dúirt Mama le Daid go gcaithfeadh sé dul chuig cóisir Seth Snella i mí an Mheithimh. Tuigeann sé nach féidir leis éalú as an gceann seo.

Déardaoin
Tá gach duine ar scoil ag caint ar an damhsa mór a bheidh ar siúl do Lá Fhéile Vailintín.

Is í seo an chéad bhliain a mbeidh damhsa mar seo i mo scoilse. Bhí cuid de na buachaillí i mo rang ag cur ceist ar chailíní dul chuig an damhsa in éineacht leo.

Is baitsiléirí mé féin agus Rowley faoi láthair, ach ní chiallaíonn sé sin nach ndéanfaidh muid iarracht.

Dá gcuirfinn féin agus Rowley cúpla pingin le chéile, bheadh muid in ann limisín a fháil ar cíos don oíche. Ach nuair a ghlaoigh mé ar an gcomhlacht limisín, thug an fear ar an bhfón "A bhean uasail" orm. Ní raibh mé chun MO CHUIDSE airgid a thabhairt dá leithéid siúd.

Beidh an damhsa mór ar siúl an tseachtain seo chugainn agus níl aon éadaí cearta agam.

Tá mé i sáinn mar go bhfuil mo chuid éadaí ar fad seanchaite nó salach faoi láthair. Chuardaigh mé tríd an gciseán níocháin go bhfeicfinn an bhféadfainn rud ar bith a chaitheamh FAOI DHÓ.

Rinne mé dhá charn de na héadaí: na cinn a d'fhéadfainn a chaitheamh arís agus na cinn a leagfadh leath na scoile amach leis an mboladh bréan a bhí uathu.

D'aimsigh mé léine i gcarn a haon a bhí maith go leor ach a raibh rian suibhe ar a taobh chlé. Ag an damhsa, beidh orm Holly Hills a choinneáil ar thaobh mo láimhe deise ar feadh na hoíche.

Lá Fhéile Vailintín

Chaith mé an oíche aréir ag déanamh cártaí Vailintín don rang ar fad. Tá mé sách cinnte gurb í mo scoilse an t-aon scoil sa tír a chuireann iallach ar na daltaí cártaí a thabhairt dá chéile.

Bhí mé ag súil go mór leis na cártaí a bhabhtáil anuraidh. An oíche roimh Lá Fhéile Vailintín, chaith mé go leor ama ag déanamh cárta do chailín darbh ainm Natasha, a thaitin liom beagán.

♡ A Natasha, a stóirín,	Go gcoinní tine mo ghrá tú Te teolaí
Tá an grá atá agam duit cosúil le tine	Go dtí go múchfaidh tú na lasracha le do phóigín milis
Atá chomh te sin go gcuirfeadh sé uisce na farraige ag fiuchadh	Is tusa mo ghrá Is tusa mo mhian Is tusa mo shaol
Léafadh sé gach fear sneachta Ar domhan	🌹 Greg

Thaispeáin mé mo chárta do Mhama ach dúirt sí nach raibh an rud a scríobh mé "oiriúnach do maois". Mhol sí dom bosca beag seacláide a cheannach do Natasha ach ní raibh aon fhonn orm glacadh le comhairle mo Mhama air seo.

Ar scoil chuir gach duine a gcártaí Vailintín i mboscaí a chéile, ach thug mise mo chárta do Natasha go pearsanta.

Léigh sí é agus d'fhan mé go bhfeicfinn céard a bhí aici DOMSA.

Chuir Natasha a lámh ina bosca agus tharraing sí amach cárta a cheannaigh sí sa siopa agus a raibh ainm Chantelle air, cara léi a bhí amuigh tinn an lá sin.

Ghlan sí amach ainm a cara agus chuir sí m'ainmse
ina áit.

Ar aon nós, tuigfidh tú an fáth nach raibh fonn
orm cártaí a thabhairt amach I mBLIANA.

Tháinig smaoineamh iontach chugam aréir. Bhí
cárta le déanamh agam do gach duine sa rang,
ach in áit rud seafóideach a scríobh, d'inis mé
do gach duine GO DÍREACH céard a cheap mé
díobh.

Ach bhí cleas agam - níor chuir mé m'ainm leis na cártaí.

Rinne roinnt daltaí gearán leis an múinteoir, Mrs. Riser, faoi na cártaí agus rinne sí iarracht a fháil amach cé a scríobh iad. Bhí a fhios agam go gceapfadh Mrs. Riser gurbh é an té NACH bhfuair cárta an té a scríobh iad, ach bhí ceann déanta agam DOM FÉIN chomh maith.

Tar éis na gcártaí, bhí Damhsa Lá Fhéile Vailintín ann. Bhí an damhsa le bheith ar siúl san OÍCHE, ach ní raibh dóthain tuismitheoirí sásta bheith i láthair le maoirsiú a dhéanamh. Mar sin, bhí an damhsa ar siúl i lár an lae scoile.

Tháinig deireadh leis na gnáthranganna agus cuireadh gach duine síos chuig halla na scoile ag thart ar a 1:00. B'éigean do dhuine ar bith nach raibh sásta an dá euro isteach a íoc dul ag staidéar i seomra Mr. Ray.

Ach bhí a fhios ag gach duine againn gurbh ionann "staidéar" is pionós.

Chuaigh muid isteach sa halla agus shuigh muid sna
suíocháin. Níl a fhios agam cén fáth, ach bhí na
cailíní ar fad ar thaobh amháin agus na buachaillí
ar an taobh eile. Nuair a bhí gach duine istigh,
chas na múinteoirí air an ceol. Ach cibé cén duine
a ROGHNAIGH an ceol, ní thuigeann siad ceol
comhaimseartha.

Don chéad chúig nóiméad déag, níor bhog duine
ar bith. Ansin, chuaigh Mr. Phillips agus an
tAltra Powell amach i lár an urláir agus thosaigh
siad ag damhsa.

Is dócha gur cheap Mr. Phillips agus an tAltra Powell dá dtosóidís féin ag damhsa go leanfadh gach duine eile amach iad. Ach níor BHOG oiread is dalta AMHÁIN as a shuíochán.

Ar deireadh thiar, rinne Mrs. Mancy, an príomhoide, fógra ar an micreafón. Dúirt sí go raibh ar GACH duine dul amach ar an urlár ag damhsa mar chuid dár scrúduithe corpoideachais.

Ag an bpointe sin rinne mé féin agus cúpla buachaill eile iarracht éalú amach chuig seomra Mr. Ray, ach bhí múinteoirí ag seasamh sa doras amach romhainn.

Ní ag magadh faoin scrúdú a bhí Mrs. Mancy ach an oiread. Bhí sí ag siúl thart le Mr. Underwood, an múinteoir corpoideachais, agus bhí seisean ag tógáil nótaí.

Níl mé an-mhaith ag corpoideachas agus bhí a fhios agam go gcaithfinn iarracht a dhéanamh. Ach ní raibh mé ag iarraidh amadán a dhéanamh díom féin. Mar sin, bhog mé beagán ionas go bhféadfaí a rá go raibh mé ag "damhsa".

Faraor, bhí cúpla duine de na buachaillí buartha faoina marc FÉIN sa chorpoideachas. Thuig siad an rud a bhí ar bun agam agus tháinig siad anall chomh fada liom. An chéad rud eile, bhí paca amadán i mo thimpeall ag aithris orm.

Bhí mé ag iarraidh éalú ó na liúdramáin seo agus chuardaigh mé áit sa halla ina bhféadfainn dul ag damhsa asam féin.

B'in an uair a chonaic mé Holly Hills agus chuimhnigh mé ar an bhfáth a raibh mé ag iarraidh bheith ann ar an gcéad dul síos.

Bhí sí ag damhsa i lár an halla lena cairde agus thosaigh mé ag déanamh mo dhamhsa beag ina treo.

Bhí na cailíní ar fad grúpáilte le chéile agus iad ag damhsa mar a bheadh damhsóirí gairmiúla ann.

Bhí Holly i gcroílár an ghrúpa. Bhog mé timpeall an imill ar feadh tamaill ag iarraidh bealach isteach a aimsiú.

Ar deireadh thiar, stop Holly ag damhsa agus d'imigh sí le deoch a fháil. B'in mo dheis.

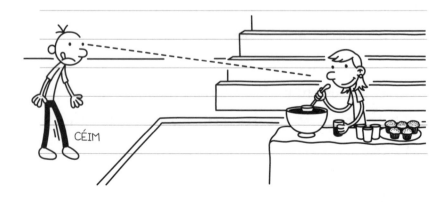

CÉIM

Ach díreach agus mé ar tí rud éigin an-chliste a rá le Holly, tháinig Fregley ANALL de léim.

Bhí a éadan clúdaithe le reoán pinc agus é as a mheabhair ó bheith ag ithe milseán a bhí leagtha amach ar bhord le taobh an urláir damhsa. Tá rud amháin ar eolas agam go cinnte agus sin gur MHILL sé mo sheans le Holly.

Cúpla nóiméad ina dhiaidh sin bhí an damhsa thart agus mo dheis caillte agam. Shiúil mé abhaile liom féin chun suaimhneas a bheith agam.

Tar éis an dinnéir, dúirt Mama liom go raibh
cárta Vailintín sa bhosca poist le m'ainm air.
D'fhiafraigh mé di cé uaidh é agus dúirt sí "duine
éigin speisialta". Rith mé amach chun é a fháil
agus admhaím go raibh mé ar bís ceart. Bhí mé
ag súil gurbh í Holly a scríobh é ach tá ceathrar
nó cúigear cailíní eile ar scoil nár mhiste liom
cárta a fháil uathu ach an oiread.

Bhí clúdach mór dearg ar an gcárta agus m'ainm
scríofa go galánta air. Stróic mé an clúdach
de agus seo a bhí ann: píosa páipéir le milseán
greamaithe de agus ainm ROWLEY air.

Ní thuigim an buachaill sin uaireanta.

MÁRTA

<u>Dé Sathairn</u>

An lá cheana, fuair Daid Ruidín, an phluid atá ag Manny, ar an tolg. Ní raibh a fhios ag Daid cad a bhí ann agus chaith sé amach í.

Tá an teach cuardaithe ag Manny ó shin agus sa deireadh b'éigean do Dhaid a insint dó gur chaith sé amach an phluid. Bhuel, bhain Manny a dhíoltas amach inné nuair a thosaigh sé ag spraoi le láthair chogaidh Dhaid.

Tá Manny crosta le gach duine eile freisin. Bhí mé i mo shuí ar an tolg ag tabhairt aire do mo ghnó féin inniu, agus dúirt Manny –

Ní raibh a fhios agam an focal dána a bhí in "Plúpaí" nó nárbh ea, ach níor thaitin sé liom. D'fhiafraigh mé de Mhama CÉARD a chiallaigh sé.

Faraor, bhí Mama ar an bhfón le cara léi agus ní raibh sí ag tabhairt aird ar bith orm.

Stop sí ag caint sa deireadh, ach bhí sí an-chrosta gur chuir mé isteach uirthi. Dúirt mé léi go ndúirt Manny "Plúpaí" agus dúirt sí –

Chuir sé sin mearbhall orm ar feadh soicind, mar gurbh é sin an freagra a theastaigh UAIMSE. Ní raibh an freagra agamsa agus choinnigh sí uirthi lena comhrá.

Ina dhiaidh sin, thuig Manny go bhféadfadh sé Plúpaí a thabhairt orm agus tá sé á rá ó mhaidin.

Bhí a fhios agam nach ndéanfadh sé aon mhaith dom sceitheadh ar Manny. Nuair a bhí mé féin agus Rodrick beag bhíodh muid ag sceitheadh ar a chéile i gcónaí. Bhí Mama tinn tuirseach de. Fuair sí an 'Bleachtaire Blaoisce' chun an fhadhb a réiteach.

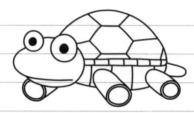

Smaoinigh sí ar an tseift sin nuair a bhí sí ag obair sa naíonra. Dá mbeadh fadhb agam féin nó ag Rodrick lena chéile, bhíodh orainn é a insint don Bhleachtaire Blaoisce in áit do Mhama. Bhuel, d'oibrigh an Bleachtaire Blaoisce amach IONTACH do Rodrick, ach ní domsa.

An Cháisc

Sa charr ar an mbealach chuig an séipéal inniu, shuigh mé ar rud éigin bog. Nuair a d'fhéach mé, chonaic mé go raibh mo bhríste CLÚDAITHE le seacláid.

Bhí a choinín Cásca seacláide fágtha ag Manny ar an suíochán. Caithfidh gur shuigh mise ar a cluas agus gur leáigh sí fúm.

Bhí Mama ag iarraidh dul isteach go tapa chun suíochán maith a fháil, ach dhiúltaigh mise dul léi.

Bhí a fhios agam go mbeadh Holly Hills agus a teaghlach ann agus ní raibh mé ag iarraidh go gceapfadh sí gur chac mé i mo bhríste.

Dúirt Mama nach raibh aon rogha agam agus bhí siar is aniar eadrainn faoi. ANSIN, tháinig Rodrick ar réiteach.

Bíonn muid sa séipéal ar feadh dhá uair an chloig faoi Cháisc agus ní raibh uaidh ach leithscéal chun éalú as. Ach díreach ag an nóiméad sin, tháinig bainisteoir Dhaid agus a chlann ar an láthair.

Chuir Mama iallach ar Rodrick a bhríste a chur
air arís agus thug sí dom a geansaí chun cur
timpeall ar mo bhásta.

Bheadh treabhsar clúdaithe le seacláid níos fearr
ná geansaí bándearg Cásca mo Mhama agus é mar
a bheadh sciorta orm.

Bhí an séipéal lán. Ní raibh suíochán ar bith
folamh ach na cinn le taobh Uncail Joe agus a
theaghlach thuas chun tosaigh.

Thug mé faoi deara go raibh Holly Hills trí
shuíochán siar uainn. Bhí mé cinnte go maith
nach raibh sí in ann an rud a bhí timpeall ar
mo bhásta a fheiceáil.

A luaithe a thosaigh an ceol, rug Uncail Joe ar mo lámh agus ar lámh a mhná agus thosaigh sé ag casadh amhráin.

Rinne mé iarracht mo lámh a tharraingt uaidh, ach níor éirigh liom. Ní raibh an t-amhrán an-fhada, ach d'airigh sé ar nós uair an chloig.

Nuair a chríochnaigh an t-amhrán, d'iompaigh mé thart agus rinne mé comhartha leis na daoine taobh thiar díom go raibh Uncail Joe cineáilín craiceáilte.

I lár na seirbhíse, cuireadh ciseán thart ionas go gcuirfeadh daoine airgead ann do na bochtáin.

Ní raibh aon airgead agam féin agus d'iarr mé ar Mhama cúig euro a thabhairt dom. Ansin, nuair a tháinig an ciseán thart, rinne mé cinnte go bhfeicfeadh Holly chomh flaithiúil is atá mé.

Ach nuair a chuir mé an t-airgead sa chiseán, thug mé faoi deara gur FICHE euro a bhí tugtha ag Mama dom trí thimpiste. Rinne mé iarracht greim a fháil ar an gciseán agus an nóta fiche euro a fháil ar ais ach bhí sé rómhall.

Tá súil agam go bhfaca an Fear Thuas Staighre an MÉID airgid a thug mé uaim.

Ní thuigim ó thalamh an domhain cén fáth a mholtar duit do chuid dea-ghníomhartha a choinneáil agat féin.

Is cinnte go mbeadh aiféala orm dá ndéanfainn a leithéid.

Mar a dúirt mé, bíonn an tseirbhís sa séipéal AN-FHADA faoi Cháisc. Chuardaigh mé bealaí chun an t-am a chaitheamh dom féin.

Caitheann Rodrick a chuid ama díomhaoin ag piocadh ar ghearradh atá ar chúl a láimhe le cúpla bliain anuas, ach níl aon suim agamsa ansin.

Bíonn SPRAOI ag Manny sa séipéal. Tugann Mama neart bréagán dó lena choinneáil ciúin. Ní raibh cead agamsa bheith ag spraoi sa séipéal nuair a bhí mé an aois sin.

Bíonn Mama agus Daid ag peataireacht ar Manny go SEASTA SÍORAÍ agus tabharfaidh mé sampla duit den rud atá i gceist agam. An tseachtain seo caite, nuair a d'oscail sé a lón ag an naíonra, NÍ RAIBH a cheapaire gearrtha mar is maith leis é.

Thóg Manny raic uafásach agus chuir na múinteoirí fios ar Mhama. D'fhág sí an obair agus chuaigh sí chuig an naíonra chun an ceapaire a ghearradh i gceart.

Ar aon nós, smaoinigh mé air seo sa séipéal agus tháinig rud éigin i m'intinn. Chuir mé cogar i gcluas Manny —

Bhuel, CHAILL Manny an cloigeann.

Thosaigh sé ag SCREADACH agus d'fhéach gach duine orainn. Stop an sagart ag caint fiú amháin.

Ní raibh Mama in ann Manny a cheansú agus bhí orainn imeacht. In áit dul amach an taobhdoras áfach, chuaigh muid síos i lár an tséipéil.

Rinne mé iarracht bheith ar nós cuma liom ag dul thar Holly Hills, ach bhí sé sin an-deacair, ó tharla Manny a bheith ag béicíl.

Bhí Daid náirithe ar fad. Rinne sé iarracht a éadan a chlúdach leis an mbileog Aifrinn, ach bheannaigh a bhainisteoir dó ar an mbealach amach.

Dé Céadaoin

Tá teannas sa teach ón méid a tharla Domhnach Cásca. I dtosach báire, tá Mama an-chrosta gur thug mé "Plúpaí" ar Manny ach chuir mé i gcuimhne di go raibh cead ag MANNY é a rá. Mar sin, chuir sí cosc iomlán ar an bhfocal sa teach. Ach, ar ndóigh, ní raibh sé i bhfad sular éirigh le Rodrick dul timpeall ar an riail.

Ní hé seo an CHÉAD uair a bhfuil cosc curtha
ar fhocail sa teach. Tamall ó shin, chuir Mama
cosc ar eascainí mar go raibh Manny tosaithe á
n-úsáid.

Gach uair a d'úsáid duine eascainí os comhair
Manny, bhí orthu euro a chur i gcrúsca dó. Bhí
Manny ag éirí saibhir go han-tapa.

Ansin, chuir Mama cosc ar na focail "amadán"
agus "bómán" agus stuif mar sin.

Chun airgead a shábháil dúinn féin, chum mé féin agus Rodrick códfhocail a raibh an chiall chéanna acu leis na heascainí agus tá muid á n-úsáid ó shin.

Anois is arís, déanaim dearmad na heascainí cearta a úsáid ar scoil, agus bíonn cuma an amadáin orm. Chaith David Nester píosa guma isteach i mo chuid gruaige. Thosaigh mé ag eascainí air, ach níor chuir sé isteach ná amach ar David.

Ón gCáisc i leith, tá mé féin agus Rodrick cráite ag Daid agus a chuid orduithe. Tá sé tinn tuirseach de bheith ag breathnú go dona os comhair a bhainisteora, Mr. Warren.

Chuir sé brú ar Rodrick dul chuig ranganna breise Mata agus chuir sé iallach ORMSA tosú ar thraenáil sacair.

Bhí an chéad seisiún ar siúl anocht. Bhí ar gach duine a scileanna a thaispeáint agus an liathróid a dhruibleáil trí chóin.

Rinne mé mo dhícheall, ach rangaíodh mé sna "Réamhshóisir Bheaga", rud a chiallaíonn go bhfuil mé uafásach.

TIMPEALL AIR, A DÚIRT MÉ!

DONC

Cuireadh ar fhoirne difriúla muid ansin. Bhí mé ag súil go bhfaighinn cóitseálaí nach raibh mórán suime aige sa spórt, ach fuair mé an cóitseálaí is measa ar fad, Mr. Litch.

Tá Mr. Litch ar nós sáirsint san arm ar maith leis a bheith ag béiceadh. Bhíodh sé mar chóitseálaí ag Rodrick agus is é siúd an fáth nach n-imríonn Rodrick spórt níos mó.

Ar aon nós, beidh an chéad chleachtadh ceart againn amárach. Tá súil agam nach roghnófar ar fhoireann mé. Tá mé ag iarraidh dul ar ais ag imirt cluichí físe. Tá Twisted Wizard 2 ag teacht amach go luath. Chuala mé go bhfuil sé GO hIONTACH.

Déardaoin

Tá mé ar fhoireann le páistí nach n-aithním.
Thug Mr. Litch amach éide sacair dúinn agus
dúirt sé linn ainm a thabhairt ar an bhfoireann.

Mhol mé "Twisted Wizards" le súil is go
dtabharfadh an siopa cluichí físe urraíocht
dúinn.

Níor thaitin mo smaoineamh leo. Mhol buachaill
amháin an t-ainm "Red Sox", a cheap mé a bhí
uafásach. Ní hamháin go bhfuil an éide atá
againn GORM, ní foireann DAORCHLUICHE
muid.

Ach, ar ndóigh, thaitin an t-ainm le GACH
duine eile. Ach ansin dúirt an cóitseálaí cúnta,
Mr. Boone, go raibh imní air go gcuirfí an dlí
orainn as an t-ainm a ghoid.

Tá mé sách cinnte go bhfuil rudaí níos fearr le déanamh ag na Red Sox ná bheith ag cur an dlí ar pháistí óga.

Agus mar sin athraíodh an t-ainm go dtí na "STOCAÍ Dearga".

Thosaigh muid ar an gcleachtadh. Chuir Mr. Litch agus Mr. Boone iallach orainn rith timpeall na páirce agus stuif eile nach bhfuil aon bhaint aige le sacar. Deis ar bith a fuair mé, anonn liom chuig an umar uisce le sos a thógáil le beirt eile ó na Réamhshóisir Bheaga. Agus gach uair, ligfeadh Mr. Litch béic orainn —

CIC SA TÓIN A THEASTAÍONN UAIBHSE!

Cheap mé féin agus na buachaillí eile go mbeadh
sé greannmhar an chéad uair eile a bhagródh
Mr. Litch cic sa tóin orainn, dá sacfadh muid ár
dtóin ina threo.

Ba ghearr gur lig sé béic eile as. Rith mise
anonn, mo thóin in airde. Ach, LIG na buachaillí
eile síos mé.

Ní mó ná sásta a bhí Mr. Litch liom agus
cuireadh iallach orm breis traenála a dhéanamh.

Nuair a phioc Daid suas mé ar ball, dúirt mé leis
nach smaoineamh maith a bhí sa sacar agus gur
cheart dó ligean dom éirí as.

Chuir sé sin fearg ar Dhaid agus dúirt sé —

NÍ GHÉILLEANN MUINTIR HEFFLEY!

Rud nach bhfuil fíor. Géillimse GO MINIC.
Agus géilleann Rodrick agus Manny níos minice
ná mé.

Ar aon nós, má tá mé chun éalú ón sacar, tá an
chuma ar an scéal go mbeidh orm smaoineamh ar
chleas éigin eile.

Dé hAoine
Ó thosaigh mé ag imirt sacair, bím ag athrú mo
chuid éadaí an-mhinic go deo. Ní raibh aon éadaí
glana agam le fada anois, agus bím ag tógáil
stuif amach as an gcarn éadaí salacha. Ach fuair
mé amach Dé hAoine seo caite gur contúirteach
an rud é éadaí a thógáil as an gcarn salach.

Bhí mé ag siúl thar ghrúpa cailíní inniu agus
thit drár salach amach as cos mo bhríste.
Choinnigh mé orm ag siúl agus mé ag súil go
gceapfaidís gur le duine éigin eile é.

Ach d'íoc mé as an gcinneadh sin NÍOS DÉANAÍ
sa lá.

B'fhearr dom foghlaim go tapa le mo chuid éadaí a ní, nó ní bheidh rud ar bith fágtha agam. Amárach beidh t-léine orm a fuair mé ag an gcéad bhainis a bhí ag Uncail Gary agus níl mé ag súil lena caitheamh.

Gary agus Linda

Grá go Deo

Bhí mé in ísle brí agus mé ag siúl abhaile ón scoil inniu ach ansin tharla rud a d'athraigh é sin ar fad. D'iarr Rowley orm fanacht thar oíche leis féin agus le cara leis ón rang karate ag an deireadh seachtaine.

Bhí mé ar tí é a dhiúltú ach ansin dúirt sé rud éigin an-suimiúil. Tá a chara ina chónaí ar Shráid Shuáilceach, atá an-ghar don cheantar ina gcónaíonn Holly Hills.

Ag am lóin inniu, chuala mé cailíní ag rá go mbeidh siad ag fanacht thar oíche i dteach HOLLY oíche Shathairn. Seo DEIS IONTACH domsa.

Anocht, d'inis Mr. Litch dúinn cá mbeidh muid ag imirt ar an bpáirc dár gcéad chluiche Dé Domhnaigh.

Mise an "Giolla" agus bhí mé sásta go maith leis sin. D'inis mé do Rodrick faoi nuair a chuaigh mé abhaile.

Thosaigh Rodrick ag gáire fúm. Dúirt sé nach mbíonn an Giolla ag imirt ar chor ar bith - eisean a phiocann suas an liathróid nuair a théann sí amach as an bpáirc. Ansin thaispeáin sé leabhar rialacha sacair dom agus ní raibh Giolla luaite ann.

Bíonn Rodrick ag magadh fúm i gcónaí. Feicfidh mé Dé Domhnaigh an bhfuil an fhírinne á hinsint aige an uair seo.

Dé Domhnaigh
Meabhraigh dom gan dul ar cuairt in éineacht le Rowley arís go deo.

Chuaigh muid chuig teach a chara tráthnóna inné. Bhí barúil agam gur drochoíche a bheadh ann nuair a thug mé faoi deara go raibh na buachaillí ar fad sa teach faoi bhun sé bliana d'aois.

Agus níos measa fós, bhí éide karate ar GACH duine acu.

An chúis ar shocraigh mé fanacht THAR OÍCHE le cara Rowley ar an gcéad dul síos ná go bhféadfainn éalú amach chuig teach Holly. Ach bhí níos mó suime ag cairde Rowley i "Sesame Street" ná i gcailíní.

Ní raibh uathu siúd ar fad ach bheith ag imirt cluichí ar nós folach bíog agus stuif mar sin. D'fhéadfainn a bheith ag imirt Cas an Buidéal le Holly Hills, ach ina áit sin bhí mé ag caitheamh na hoíche in éineacht le babaithe móra.

D'imir cairde Rowley cluichí eile freisin ar nós Cathaoireacha Ceoil agus Twister.

D'éalaigh mé suas an staighre nuair a thosaigh siad ag imirt "Cé a Phógfaidh Mé?"

Thriail mé glaoch ar Mhama ach bhí sí amuigh le Daid. Bhí mé i sáinn cheart leis na babaithe seo.

Ag a 9:30 rinne mé cinneadh dul a chodladh. Ach tháinig siad uilig isteach sa seomra codlata chun troid mhór pilliúr a bheith eatarthu. Agus creid uaimse é nach bhfuil sé éasca titim i do chodladh leis an raic sin sa seomra.

Ar deireadh thiar, tháinig an mháthair isteach agus dúirt sí leo dul a chodladh.

Fiú nuair a bhí na soilse múchta, choinnigh Rowley
agus a chairde orthu ag caint is ag gáire. Cheap
siad go raibh mé i mo chodladh agus rinne siad
iarracht an cleas 'lámh i mbabhla uisce' a imirt orm.

Bhuel, bhí mo dhóthain AGAMSA. Chuaigh mé
síos san íoslach, cé go raibh sé dorcha thíos
ann agus nach raibh mé in ann an solas a aimsiú.
Bhí mo mhála codlata fágtha thuas staighre
agam. Botún mór a bhí ansin mar go raibh sé
PRÉACHTA thíos san íoslach.

NÍ raibh mé ag iarraidh dul ar ais suas ansin
áfach. Chuir mé mo chloigeann fúm agus theann mé
mo ghlúine isteach chun mé féin a choinneáil te.

Ba í sin an oíche Ab fhaide i mo shaol.

Nuair a d'éirigh an ghrian ar maidin, thuig mé an fáth a raibh sé chomh fuar. Bhí mé i mo chodladh le taobh an dorais agus bhí sé fágtha oscailte ag bómán éigin.

Ní chreidim go raibh bealach éalaithe agam agus NACH raibh a fhios agam faoi.

Nuair a d'fhill mé ar an mbaile, chuaigh mé ar ais sa leaba go dtí gur dhúisigh Daid mé chun dul chuig an gcluiche.

Bhí an ceart ag Rodrick faoi phost an Ghiolla. Chaith mé an cluiche ar fad ar thóir liathróidí sna sceacha agus ní raibh mórán spraoi ansin.

Bhuaigh ár bhfoireann an cluiche agus bhí muid chun dul amach ag ceiliúradh. Bhí ar Dhaid imeacht agus d'iarr sé ar Mr. Litch síob abhaile a thabhairt domsa.

Bhuel, faraor nár iarr Daid ORMSA ar mhaith liom síob abhaile le Mr. Litch. Bheinn imithe abhaile leis ar an bpointe.

Bhí mé stiúgtha leis an ocras tar éis an chluiche, agus chinn mé dul in éineacht leis an bhfoireann.

Chuaigh muid chuig bialann agus d'ordaigh mé fiche chaipín sicín. Tar éis dom teacht ón leithreas, bhí mo bhia ar fad imithe. Ach ansin d'oscail Erick Bickford a dhá lámh lofa agus chaith sé mo chnaipíní ar an mbord.

Sin an fáth a bhfuil an ghráin agam ar spórt foirne.

Tar éis an lóin, chuaigh mé féin, Kenny Keith agus Erick isteach i gcarr Mr. Litch. Shuigh Kenny ar cúl le hErick agus shuigh mise chun tosaigh.

Bhí orainn fanacht i bhfad mar go raibh Mr. Litch taobh amuigh ag caint le Mr. Boone. Tar éis dúinn suí ansin ar feadh píosa fada, shín Kenny a lámh aniar chun tosaigh agus bhrúigh sé síos ar an mbonnán ar feadh trí soicind nó mar sin.

Léim Kenny ar ais ina shuíochán agus nuair a chas Mr. Litch thart, bhí an chuma air gur mise a bhrúigh an bonnán.

Thug Mr. Litch an drochshúil dom, ansin chas sé timpeall agus chuaigh sé ar ais chun cainte ar feadh leathuair eile.

Ar an mbealach abhaile, stop Mr. Litch thart ar chúig huaire chun jabanna difriúla a dhéanamh. Ní raibh aon deifir air ach an oiread.

Agus éist leis seo: Bhí Kenny agus Erick crosta LIOMSA faoi sin. Is iontach dúr na daoine iad seo a mbíonn orm déileáil leo.

Mise ba dheireanaí amach as an gcarr. Ar an mbealach suas an cnocán, chonaic mé muintir Snella sa ghairdín agus iad ag iarraidh taifeadadh a dhéanamh do "Pleidhcí & Pleotaí."

Is dócha nach bhfuil siad sásta fanacht go dtí leathlá breithe Seth.

FAN, NÍL AN CNAIPE BRÚITE!

BAP

SONC

AIBREÁN

Déardaoin

Inniu an 1 Aibreán agus thosaigh mo lá mar seo —

Ní féidir Rodrick a chur AMACH as an leaba ar lá ar bith den bhliain, ach ar an 1 Aibréan bíonn sé ina shuí roimh gach duine eile.

Caithfidh duine éigin a mhíniú do Rodrick cad is cleas ceart ann, mar nuair a imríonn Rodrick cleas, gortaítear mise i gcónaí.

Anuraidh chuir Rodrick geall liom nach mbeinn in ann mo bhróga a cheangal agus mé i mo sheasamh. Ar ndóigh, GHLAC mé leis an ngeall.

D'inis mé do Dhaid gur scaoil Rodrick sa tóin mé le gunna péinte. Ní raibh fonn ar Dhaid dul eadrainn agus dúirt sé le Rodrick an t-airgead a gheall sé dom a íoc amach.

Thóg Rodrick dhá chaoga cent as a phóca agus chaith sé ar an talamh iad. Ach ní raibh mo cheacht foghlamtha agam mar chrom mé síos chun iad a phiocadh suas.

Ar a laghad, bíonn smaoineamh go leor i MO CHUIDSE cleas. D'imir mé ceann an-mhaith ar Rowley anuraidh. Bhí muid sa seomra folctha ag an bpictiúrlann agus dúirt mé leis gur lúthchleasaí cáiliúil an fear a bhí ina sheasamh ag an úirinéal.

Agus d'iarr Rowley a shíniú air.

Agus inniu, d'imir mé féin agus na buachaillí eile cleas maith ar Chirag Gupta.

Cheap muid go mbeadh sé an-ghreannmhar dá gceapfadh sé nach raibh sé in ann cloisteáil i gceart. Labhair muid go han-chiúin nuair a bhí sé thart ionas go gceapfadh sé go raibh sé bodhar.

Ach thuig Chirag céard a bhí ar bun agus d'inis sé don mhúinteoir é sula n-imeodh rudaí ó smacht ar fad. Ní raibh sé ag iarraidh go dtarlódh Chirag Dofheicthe mar a tharla anuraidh.

Dé hAoine
Bhí an dara cluiche sacair againn anocht. Bhí duine fásta éigin acu mar ghiolla agus bhí mise in ann suí ar an mbinse.

Bhí sé AN-FHUAR agus d'iarr mé cead ar Dhaid dul chuig an gcarr i gcomhair mo chóta, ach ní ligfeadh sé dom é a fháil.

Dúirt sé go gcaithfinn bheith réidh dá n-iarrfadh an cóitseálaí orm dul amach ag imirt.

Bhí fonn orm a rá leis nach mbeinn ag leagan cos ar an bpáirc go dtí go ndéarfadh Mr. Litch liom dul amach agus craicne oráistí na n-imreoirí a phiocadh suas tar éis an chluiche. Ach choinnigh mé mo bhéal dúnta agus thriail mé mo chosa a choinneáil te.

Gach uair a thug Mr. Litch an fhoireann le chéile chuir Daid iallach orm dul in éineacht leo. Ar rith sé riamh leat agus tú ag féachaint ar chluiche ar an teilifís cad a bhíonn ar intinn na n-ionadaithe nuair a bhíonn an cóitseálaí ag caint ar phlean don chluiche?

Bhuel, inseoidh mise duit.

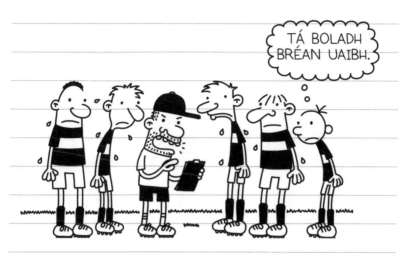

Nuair a chuaigh an ghrian faoi, bhí mé
PRÉACHTA. D'éirigh sé chomh fuar sin go
bhfuair Mackey Creavey agus Manuel Gonzales
málaí CODLATA as an gcarr.

Ach fós níor thug Daid cead dom mo chóta a
fháil.

Bhailigh muid uilig le chéile le linn sosa. Nuair a chonaic an cóitseálaí Mackey agus Manuel, dúirt sé leo dul isteach sa charr don chuid eile den chluiche.

LÉIM LÉIM

LÉIM LÉIM

Bhí Mackey agus Manuel in ann suí i gcarr te fad a bhí mise préachta ar bhinse fuar i mo chuid brístí gearra. Agus tá a FHIOS agam go bhfuil teilifís ag muintir Creavey ina gcarr. Nach iad a bhí ar a sáimhín só.

Dé Luain

Caithfidh mé tosú ag ní mo chuid éadaí. Ní raibh aon fhobhrístí glana agam le trí lá agus tá mé ag caitheamh mo bhrístíní snámha in ionad.

Bhí corpoideachas againn inniu agus rinne mé dearmad glan go raibh mo Speedo orm nuair a bhí mé ag athrú mo chuid éadaí.

D'fhéadfadh sé bheith i bhfad NÍOS MEASA áfach. Tá péire fobhrístí Wonder Woman agam nár chaith mé riamh, ach bhí an-chathú orm iad a chur orm maidin inniu mar go raibh siad glan.

Creid uaimse nár IARR mé na fobhrístí Wonder Woman sin. Chuir mo ghaolta ceist ar Mhama céard ba mhaith liom do mo lá breithe agus dúirt sí leo gur breá liom greannáin agus sárlaochra greannán.

Mar sin, thug Uncail Charlie na fobhrístí dom mar bhronntanas.

Bhí cluiche eile sacair againn tar éis na scoile, ach tá an aimsir faighte níos teo anois agus ní raibh imní orm faoin bhfuacht.

Ar scoil, d'aontaigh mé féin, Mackey agus Manuel go dtabharfadh muid cluichí físe linn chuig an gcluiche agus bhain muid AN-SÁSAMH as an oíche.

Níor mhair sé i bhfad, áfach. Bhí fiche nóiméad den chluiche caite nuair a d'iarr Mr. Litch orainn dul amach ar an bpáirc.

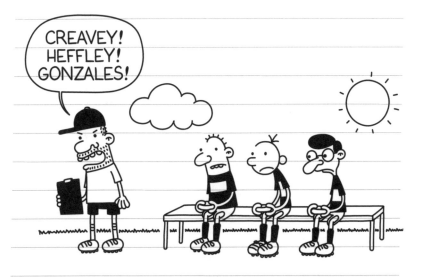

Is cosúil go ndearna tuismitheoir éigin gearán nach raibh a bpáiste ag imirt agus cuireadh riail in áit ansin go gcaithfeadh GACH páiste deis imeartha a fháil.

Bhuel, ní raibh aird ag aon duine againn ar an gcluiche, agus ní raibh tuairim againn cá seasfadh muid ar an bpáirc.

Dúirt buachaill amháin linn go raibh "cic saor" ag an bhfoireann eile agus go raibh orainn seasamh gualainn ar ghualainn chun an cúl a chosaint.

Cheap mé gur ag magadh a bhí sé, ach ba chosúil nárbh ea. Bhí orm féin, Manuel agus Mackey seasamh i líne os comhair an chúil. Ansin shéid an réiteoir an fheadóg agus chiceáil buachaill ón bhfoireann eile an liathróid inár dtreo.

TUÍÍT!

Bhuel, ní dhearna muid jab an-mhaith agus d'éirigh leis an bhfoireann eile scóráil.

An chéad deis a bhí aige, tharraing Mr. Litch amach as an gcluiche muid agus bhéic sé orainn mar nár bhlocáil muid an liathróid.

Ach déarfaidh mé an méid seo: B'fhearr liom i bhfad an bhéicíl ná liathróid a fháil glan díreach isteach i méadan.

<u>Déardaoin</u>

Tar éis an chluiche an tseachtain seo caite, d'iarr mé ar Mr. Litch an bhféadfainn bheith i mo chúl báire ionaid agus dúirt sé go bhféadfainn.

Smaoineamh iontach go deo a bhí ann, agus inseoidh mé duit cén fáth. Bhí cúis mhaith agam leis sin. I dtosach báire, ní bhíonn ar an gcúl báire rith timpeall agus timpeall na páirce le linn traenála. Ní bhíonn ann ach cúil a shábháil leis an gcóitseálaí cúnta.

Freisin, bíonn éide difriúil orthu agus ciallaíonn sé sin nach féidir le Mr. Litch mé a chur isteach i lár an chluiche chun cic saor a chosaint.

Is é an gnáth-chúlbáire, Tucker Fox, réalta na foirne, agus bhí a fhios agam mar sin nach mbeadh orm féin imirt. Mar a tharlaíonn sé, bhain me SÁSAMH as an gcúpla cluiche deireanacha. Ach tharla drochrud anocht. Ghortaigh Tucker a lámh agus d'imigh sé den pháirc. B'éigean domsa dul isteach ina áit.

Bhuel, bhí SCEITIMÍNÍ ar Dhaid agus tháinig sé chomh fada le mo chúl ionas go bhféadfadh sé mé a chóitseáil on taobhlíne. Ní hé go raibh gá leis ann. Choinnigh foireann s'againne an liathróid ar an taobh eile den pháirc an t-am ar fad.

149

Tuigim an méid a bhí ar siúl ag Daid áfach.

Nuair a bhínn ag imirt daorchluiche leanaí, ní bhínn in ann m'aird a choinneáil ar an gcluiche. Anocht bhí Daid ag iarraidh a chinntiú nach mbainfinn mo shúil den liathróid.

Seans gur rud maith a bhí ann gur fhan sé in éineacht liom.

Bhí thart ar MHILLIÚN caisearbhán ar mo thaobhsa den pháirc agus bhí cuma álainn orthu.

Dé Luain

Bhuel, inné bhí cluiche eile sacair againn agus ní raibh Daid ann chun é a fheiceáil. Chaill muid ár gcéad chluiche den séasúr, 1-0. Ar chaoi éigin, chuir an fhoireann eile an liathróid isteach tharam sa soicind deireanach. Mhill sé sin ár seans gan cluiche ar bith a chailleadh i mbliana.

Bhí gach duine in ísle brí ina dhiaidh sin agus rinne mé iarracht a gcroí a ardú.

BHUEL, NÍL ANN ACH CLUICHE AR AON NÓS!

Ghlac siad buíochas liom trí chraicne oráiste a chaitheamh liom.

Sa bhaile, bhí drogall an diabhail orm an scéala a insint do Dhaid.

Bhí beagán díomá air, ach ní raibh sé i bhfad ag teacht chuige féin.

Ach anocht nuair a tháinig Daid abhaile, bhí cuma an-chrosta air. Chaith sé an páipéar nuachta ar an mbord os mo chomhair agus seo an pictiúr a bhí ar an leathanach spóirt —

Cluiche "Séidte"

Cúlbáire na Stocaí Dearga Gregory Heffley, agus cic ó lár páirce á chur isteach ag Anachain Aontaithe. Tá deireadh anois le seans na Stocaí Dearga an séasúr a chríochnú gan cluiche ar bith a chailleadh.

Is cosúil gurbh é bainisteoir Dhaid a d'inis dó faoin bpáipéar.

Bhuel, b'fhéidir nár inis me GACH rud do Dhaid.

Le bheith fírinneach, ní raibh a fhios agam céard go díreach a tharla go dtí go bhfaca mé sa pháipéar é.

Níor labhair Daid liom an chuid eile den tráthnóna. Tá súil agam go dtiocfaidh sé as go tapa. Tháinig Twisted Wizard 2 amach inniu agus tá mé ag brath ar Dhaid chun é a cheannach dom.

Dé hAoine

Thug Daid mé féin agus Rodrick chuig scannán anocht. Ní ag iarraidh bheith go deas a bhí sé. Ní raibh uaidh ach éalú ón teach.

An cuimhin leat go raibh Mama tosaithe i mbun aclaíochta? Bhuel, d'éirigh sí as sách tapa. Thóg Daid grianghraif di an chéad lá a raibh a cuid éadaí aclaíochta uirthi agus fuair sé priontáilte iad. Tháinig na pictiúir sa phost inniu. Bhí dhá chóip de gach grianghraf ann.

Scríobh Daid lipéid éagsúla ar dhá chóip den ghrianghraf céanna, le teann magaidh, agus ghreamaigh sé don chuisneoir iad.

Bhuel, bhí Daid bródúil as féin as an smaoineamh, ach ní mó ná sásta a bhí Mama.

Ar aon nós, mheas Daid gurbh fhearr dó imeacht as an teach ar feadh tamaill anocht.

Chuaigh muid chuig an bpictiúrlann nua san ionad siopadóireachta. Chuaigh muid isteach agus thug muid ár dticéid don déagóir a bhí ar an doras. Níor aithin mé é i dtosach, ach d'aithin Daid ar an bpointe é.

Léigh mé an t-ainm ar a léine agus níor chreid mé mo shúile. LENWOOD HEATH a bhí ann, an scabhaitéir a bhíodh ina chónaí taobh linn. An uair dheireanach a chonaic mé é, bhí gruaig fhada air agus é ag lasadh bruscar na gcomharsan. Anois, ba gheall le saighdiúir é a bhí díreach tagtha as an arm.

Bhí Daid AN-TÓGTHA leis an gcuma nua a bhí ar Lenwood agus thosaigh siad ag caint.

Dúirt Lenwood go bhfuil sé i Scoil Mhíleata a réitíonn buachaillí le dul isteach san arm agus nach bhfuil sé ag obair anseo ach chun airgead póca a shaothrú. Dúirt sé go bhfuil súil aige dul san arm an chéad bhliain eile.

Go tobann, cheapfadh duine ar bith gurb é Lenwood dlúthchara nua Dhaid. Rud a bhí thar a bheith aisteach, ó tharla an chaoi a mbíodh rudaí idir an bheirt acu.

ROIMH   TAR ÉIS

Ar aon nós, lean Daid air ag caint le Lenwood agus chuaigh mé féin agus Rodrick go dtí ár suíocháin. Bhí an scannán beagnach thart faoin am a rith sé liom céard a bhí tar éis tarlú I nDÁIRÍRE.

Má chonaic Daid an tionchar a bhí ag an Scoil Mhíleata ar scabhaitéir cosúil le Lenwood Heath, is cinnte go mbeadh sé ag smaoineamh ar an maitheas a dhéanfadh sé DOMSA.

Tá súil agam go bhfuil mé mícheart. Ach tá an-imní orm anois mar go raibh ARD-GHIÚMAR ar Dhaid anocht tar éis an scannáin.

Dé Luain

Bhuel, bhí an ceart agam. Chaith Daid an deireadh seachtaine ar fad ag léamh faoin scoil mhíleata sin agus tá sé chun m'ainm a chur síos.

Seo an chuid is measa: Caithfidh "earcaigh nua" a bheith i láthair ar an 7 Meitheamh agus cúpla lá a chaitheamh ann mar thús. Ach tá mise ceaptha bheith ar SAOIRE.

Dúirt Daid go ndéanfadh sé fear ceart díom. Ach ní raibh mé ag pleanáil laethanta saoire an tsamhraidh a chaitheamh i ndianchampa airm.

Dúirt mé le Daid nach mbeinn IN ANN ag an Scoil Mhíleata sin. Bíonn buachaillí óga measctha le déagóirí ann agus ní fhéadfaidh sé gur rud maith é sin.

Tá mé cinnte go mbeidh na déagóirí ag piocadh ormsa.

Ach is mó imní i bhfad atá orm faoin seomra folctha. Tá mé cinnte nach mbeidh ann ach seomra mór amháin agus nach mbeidh aon phríobháideachas sna ceathanna.

Teastaíonn mo phríobháideachas uaim sa seomra folctha. Ní úsáidim an leithreas ar scoil fiú mura cás éigeandála atá ann.

Tá leithreas i gcúpla seomra ranga sa scoil fiú agus ní úsáidim iad sin mar gur féidir gach torann beo a thagann astu a chloisteáil ar fud an ranga.

Maidir leis an seomra folctha mór ar scoil, is áit chraiceáilte ar fad é sin. Thosaigh daoine ag caitheamh páipéar leithris fliuch thart ann an tseachtain seo caite agus is geall le zón cogaidh anois é.

Níl suaimhneas ar bith agam in áit mar sin, agus coinním istigh é go dtéim abhaile.

Ach tharla rud éigin cúpla lá ó shin a d'athraigh rudaí. Chonaic mé go raibh úraitheoirí nua aeir curtha sa seomra folctha ag an bhfeighlí.

Thosaigh mé ráfla gur ceamaraí slándála a bhí sna húraitheoirí chun greim a fháil ar lucht an pháipéir leithris.

D'oibrigh mo phlean agus ní bhíonn duine ná deoraí istigh sa seomra folctha sin níos mó.

B'fhéidir gur réitigh mé fadhb an tseomra folctha
ar scoil, ach dúshlán eile ar fad a bheidh ann
sa Scoil Mhíleata. Ní DÓIGH liom go mbeidh
mé in ann é a choinneáil istigh i gcaitheamh an
tsamhraidh ar fad.

Bhí a fhios agam go mbeadh sé deacair intinn
Dhaid a athrú mar sin bhain mé triail as Mama.
Dúirt mé léi nach raibh mé ag iarraidh dul in áit
ar bith a chuirfeadh iallach orm mo chloigeann a
bhearradh. Mheas mé go n-aontódh sí liom agus
go n-éireodh léi Daid a mhealladh.

Ach breathnaíonn sé nach bhfuil Mama ar aon intinn liom.

Dé Céadaoin
Mheas mé go mbeadh orm rud éigin a dhéanamh chun cur ina luí ar Dhaid go raibh mé SÁCH crua gan an Scoil Mhíleata. Dúirt mé leis go rachainn sna Gasóga.

Bhí sé an-tógtha leis an smaoineamh agus ba mhór an faoiseamh dom é.

Tá cúpla cúis eile agam freisin gur mhaith liom dul sna Gasóga. I dtosach báire, tagann siad le chéile ar an lá céanna a mbíonn sacar agam.

Agus freisin, tá sé thar am ag na daltaí eile meas a bheith acu orm.

Tá DHÁ thrúpa Gasóg ar an mbaile: Trúpa 24 atá gar do mo theach agus Trúpa 133 atá cúig mhíle síos an bóthar uaim. Bíonn cóisirí agus imeachtaí ar bun ag Trúpa 133 i gcónaí, ach bíonn Trúpa 24 de shíor ag obair sa phobal i gcaitheamh an deireadh seachtaine. B'fhearr liom i bhfad Trúpa 133 ar ndóigh.

Anois caithfidh mé a chinntiú nach bhfaighidh Daid amach faoi Thrúpa 24 nó cuirfidh sé m'ainm síos dóibh sin GO CINNTE.

Mar a tharlaíonn sé, thiomáin muid thar
Thrúpa 24 agus iad ag glanadh na páirce. Ar an
dea-uair, ní fhaca Daid iad.

Dé Domhnaigh

Inniu mo chéad chruinniú leis na Gasóga agus
bhí an t-ádh orm bheith i dTrúpa 133. Chuir mé
iallach ar Rowley dul liom. Casadh an ceannaire,
Mr. Barrett, orainn i dtosach. Ní raibh orainn
ach gealladh go gcloífeadh muid leis na rialacha
agus bhí muid istigh. Thug Mr. Barrett éide
dúinn fiú amháin.

Thaitin an t-éadach go mór le Rowley agus bhí
mise sásta léine ghlan a bheith agam den chéad
uair le fada.

Nuair a bhí an t-éide orainn chuaigh muid amach chuig na gasóga eile. Bhí siad ag obair ar shuaitheantais fiúntais a bhaint amach. Faigheann tú ceann mar dhuais nuair a dhéanann tú stuif fearúil.

Bhreathnaigh mé féin agus Rowley tríd an leabhar go bhfeicfeadh muid céard a dhéanfadh muid.

Bhí Rowley ag iarraidh rud éigin deacair a dhéanamh ach chuir mé ina luí air tabhairt faoi rud éigin éasca. Shocraigh muid ar Shnoíodóireacht Adhmaid.

Ach bhí an tsnoíodóireacht i bhfad níos deacra ná mar a bhí súil againn leis. Thóg sé i bhFAD orainn rud ar bith a dhéanamh, agus fuair Rowley dealg ina mhéar ar an bpointe.

Mar sin, d'iarr muid ar Mr. Barrett an raibh aon rud ann nach raibh contúirteach.

Mhol Mr. Barrett dúinn gallúnach a úsáid in áit an adhmaid. Bhí a fhios agam ag an bpointe sin go raibh an cinneadh ceart déanta agam dul le Trúpa 133.

Thosaigh muid ag snoí na gallúnaí agus thug mé rud éigin an-suimiúil faoi deara. Má tá gallúnach sách fliuch, is féidir leat í a mhúnlú i gcruth ar bith is mian leat le do lámha. Bhí smaoineamh iontach agam. Chuir muid uainn na sceana agus D'FHÁISC MUID cruth as an ngallúnach.

Rinne mise caora. Thug mé do Mr. Barrett é
agus chuir sé tic ar mo liosta snoíodóireachta.

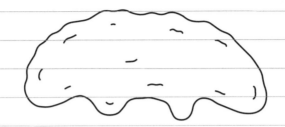

Don chéad chruth eile, ní dhearna mé ach an
chaora a iompú bun os cionn agus a rá le Mr.
Barrett gurbh é an Titanic a bhí ann.

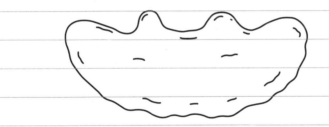

Agus, creid é nó ná creid, ghlac sé leis SIN
freisin.

Fuair mé féin agus Rowley ár suaitheantais fiúntais agus chuir muid ar ár n-éide iad. Bhí Daid an-sásta nuair a chonaic sé é. Dá mbeadh a fhios agam go raibh sé chomh héasca sin é a shásamh, bheinn sna Gasóga i bhfad ó shin.

BEALTAINE

<u>Dé Domhnaigh</u>

Tá deireadh seachtaine campála eagraithe ag na Gasóga d'aithreacha agus mic agus d'iarr mé ar Dhaid dul in éineacht liom. Bhí iontas orm go raibh sé chomh tógtha le mo shuaitheantas fiúntais agus mheas mé go mbeadh sé AN-TÓGTHA ar fad le mo chuid éachtaí ar thuras campála.

Ach dhúisigh mé maidin inné agus mé chomh tinn le madra. Ní raibh mé in ann dul ag campáil ach ní raibh aon rogha ag Daid.

Chaith mé an lá ar fad sa leaba. Faraor nach i rith na SEACHTAINE a d'éirigh mé tinn. Níor chaill mé lá ar bith scoile anuraidh, ach gheall mé dom féin NACH dtarlódh sé sin arís.

Ba THUBAISTE cheart a bhí sa turas campála. Ghlaoigh an fón aréir ag a 10:00 agus Daid a bhí ann, ag glaoch ón ospidéal.

Cuireadh Daid i bpuball le Darren agus Marcus Woodley mar nach raibh a n-athair siúd ann. Bhí an bheirt deartháireacha ag pleidhcíocht thart sa champa cé go raibh Daid ag bagairt orthu. Chaith Darren liathróid le Marcus agus buaileadh sa bholg é.

D'fhliuch Marcus a bhríste agus cheap Darren go raibh sé sin greannmhar.

CHAILL Marcus an cloigeann. Bhain sé plaic as Darren.

Thóg sé síoraíocht ar Dhaid an bheirt a tharraingt óna chéile agus b'éigean Darren a thabhairt chuig an ospidéal.

Tháinig Daid abhaile ar maidin agus ní mó ná sásta a bhí sé LIOMSA. Tá mé ag ceapadh nach bhfuil sé an-tógtha le Trúpa 133 níos mó ach an oiread.

Dé Domhnaigh
Inniu Lá na Máthar agus ní raibh rud ar bith agam do Mhama.

Bhí mé chun iarraidh ar Dhaid mé a thabhairt chuig an siopa chun cárta a fháil, ach bhí sé fós ag teacht chuige féin ón turas campála. Agus ní dóigh liom go mbeadh sé an-sásta cuidiú liomsa ar aon nós.

B'éigean dom bronntanas a dhéanamh di mé féin.

Anuraidh, rinne mé leabhar de "Dhearbháin
Oibre" di. Bhí jab faoi leith ar gach dearbhán,
mar shampla, "Níochán na bhFuinneog".

**Scuabadh
an urláir**

Tugaim leabhar dearbhán mar sin do Dhaid gach
Lá na nAthar agus is breá leis é. Is bealach é
chun bronntanas a thabhairt gan aon airgead a
chaitheamh agus ní úsáideann Daid a dhearbháin
riamh.

UTH? Ó, SEA,
GO DEAS.

D'úsáid Mama GACH CEANN BEO dá cuid féin anuraidh. Ní dhearna mé an botún céanna i mbliana.

Thriail mé smaoineamh ar rud éigin suimiúil, ach rith mé amach as am. Mar sin, thóg mé creidiúint as bronntanas Manny.

Dé Luain

Caithfidh mé tubaiste an turais champála a
chur ina cheart le Daid. Mar sin, anocht ag am
dinnéir, d'iarr mé air an bhféadfadh an bheirt
againn dul ag campáil asainn féin.

Tá staidéar déanta agam ar lámhleabhar na
nGasóg agus tá an-scil agam sa champáil anois.

Bhuel, ní raibh mórán spéise ag Daid sa
smaoineamh, ach bhí Mama AR BÍS faoi. Dúirt
sí gur cheart do Rodrick dul in éineacht linn
mar go dtabharfadh sé deis don triúr againn an
ceangal eadrainn a "láidriú".

Ní raibh mise ná Rodrick an-tógtha leis an smaoineamh sin.

Mar a tharlaíonn sé, bhí mé ag iarraidh éalú ó Rodrick mar go raibh muid tar éis titim amach lena chéile.

Aréir bhí Mama ag tabhairt bearradh gruaige do Rodrick. De ghnáth, cuireann sí tuáille ar ár nguaillí ionas nach mbeidh gruaig ag titim ar ár n-éadaí. Ach aréir, d'úsáid sí ceann dá seanghúnaí máithreachais in áit tuáille. Nuair a chonaic mé é sin, thapaigh mé mo dheis.

SPLANC   BEARR

Chuir mé mé féin faoi ghlas sa seomra folctha sula bhféadfadh Rodrick an ceamara a bhaint díom. Agus níor tháinig mé amach go raibh mé cinnte go raibh sé imithe.

Ach bhain Rodrick a dhíoltas amach ar aon nós. Bhí tromluí agam aréir go raibh mé i mo chodladh i nead seangán, a bhuíochas do Rodrick.

Mar a fheicimse é, sin deireadh an scéil. Ach ní dóigh liom go bhfuil Rodrick ar aon intinn liom. Mar sin, níl mórán fonn orm deireadh seachtaine a chaitheamh i bpuball leis.

Dé Sathairn
Bhuail mé féin, Daid agus Rodrick bóthar inniu. Phioc mé áit ina mbeadh neart gníomhaíochtaí fearúla le déanamh.

Ar an mbealach chuig an láthair champála, thosaigh sé ag báisteach.

Ní raibh mórán imní orm mar go bhfuil ár bpuball uiscedhíonach agus tá cótaí báistí againn. Ach faoin am a shroich muid an áit, bhí sé fliuch báite.

Bhí muid i bhfad ó bhaile agus rinne Daid cinneadh lóistín a aimsiú don oíche.

Bhí olc orm mar nach mbeadh deis agam anois mo chuid sárscileanna campála a thaispeáint do Dhaid. Ní bheadh ann ach oíche in óstán bréan éigin.

Fuair Daid seomra dúinn le dhá leaba agus tolg ann. Thosaigh muid ár réiteach féin le dul a chodladh.

Chuaigh Daid chuig an bhfáiltiú le gearán a dhéanamh go raibh torann an-ard ón téitheoir agus fágadh sa seomra mé le Rodrick.

Chuaigh mise isteach sa seomra folctha le m'fhiacla a scuabadh agus nuair a tháinig mé amach bhí Rodrick ag breathnú amach an poll faire. Dúirt sé rud a bhain stangadh asam.

Dar leis, bhí Holly Hills agus a teaghlach ag fanacht sa seomra TRASNA an phasáiste uainn.

Anonn liom de shodar. Bhrúigh mé as an mbealach é agus d'fhéach mé amach.

Ach bhí an pasáiste folamh. Agus sular thuig mé gur chleas a bhí ann, bhrúigh Rodrick amach an doras mé.

Ba in OLCAS a chuaigh rudaí ansin. Chuir Rodrick glas ar an doras agus bhí mé sáinnithe sa phasáiste gan orm ach mo dhrár.

Bhuail mé ar an doras, ach níor thug Rodrick
aon aird orm.

Bhí gleo go leor agam agus bhí a fhios agam go
mbeadh daoine ag oscailt a gcuid doirse go luath.
Ní raibh mé ag iarraidh go bhfeicfí mé agus
rith mé timpeall an choirnéil chun dul i bhfolach.
Chaith mé ceathrú uaire ag éalú ó dhaoine sa
phasáiste gach uair a osclaíodh doras.

Bhí mé ar tí dul ar ais chun impí ar Rodrick
mé a ligean isteach nuair a thuig mé nach raibh
UIMHIR AN tSEOMRA ar eolas agam. Bhí an
chuma chéanna ar gach doras.

Ní fhéadfainn dul chuig an bhfáiltiú. An t-aon rogha a bhí agam ná féachaint an bhféadfainn Daid a aimsiú.

Ansin smaoinigh mé: is breá le Daid rudaí milse. Bhí a fhios agam go rachadh sé chuig ceann de na meaisíní milseán.

Chuaigh mé i bhfolach idir an meaisín milseán agus an meaisín deochanna. D'fhan mé i bhfad ach tháinig Daid sa deireadh.

Ach, nuair a chonaic mé éadan Dhaid, bhí aiféala orm nach chuig an bhfáiltiú a chuaigh mé.

Dé Domhnaigh

Bhuel, tar éis ár dturas campála, tá mé cinnte nach mbeidh Daid ag athrú a intinn faoin Scoil Mhíleata. Mar sin, tá sé chomh maith agam glacadh leis go bhfuil mo chath caillte agam.

Níl ach trí seachtaine agam go mbeidh mé ag imeacht agus caithfidh mé mo dheis a thapú le Holly Hills. Ar a laghad beidh mé in ann dea-chuimhní a thabhairt liom chuig an Scoil Mhíleata agus ní bheidh rudaí chomh dona sin.

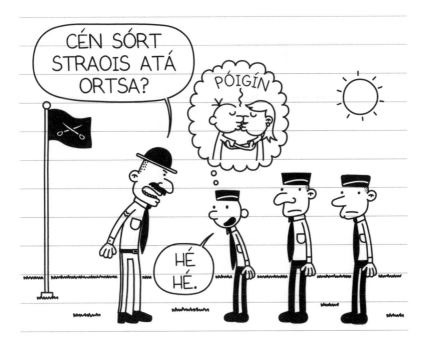

185

Mura labhróidh mé le Holly anois, ní labhróidh mé léi go brách.

Ag an séipéal inniu, rinne mé iarracht a chinntiú go mbeadh muid inár suí le taobh mhuintir Hills. Ach bhí muid dhá shuíochán síos uathu, atá sách gar is dócha. Agus nuair a thosaigh daoine ag croitheadh lámh, thapaigh mé mo dheis.

SÍOCHÁIN, HOLLY ELIZABETH HILLS.

CROITH CROITH

Ní raibh sa chroitheadh lámh ach an chéad chuid de mo phlean, bhí an dara cuid le teacht anocht. Bhí mé chun glaoch ar Holly agus an croitheadh lámh a úsáid mar leithscéal don chomhrá.

(NÁIRE)

Ag am dinnéir, dúirt mé le gach duine fanacht amach ón bhfón mar go raibh glaoch tábhachtach le déanamh agam. Ach caithfidh gur thuig Rodrick gur cailín a bhí i gceist agus chuir sé gléas láimhe an fóin i bhfolach.

Chiallaigh sé sin nach mbeadh de rogha agam ach an fón callaire sa chistin a úsáid, agus ní raibh baol orm é SIN a dhéanamh.

D'inis mé do Mhama faoi Rodrick agus chuir sí
iallach air an gléas láimhe a fhágáil ar ais.

Ansin, bhailigh Rodrick leis go dtí a sheomra.
D'éalaigh mé isteach i seomra Mhama agus Dhaid
chun an glaoch a dhéanamh. Mhúch mé na soilse
agus chuaigh mé isteach faoin bpluid le nach mbeadh
a fhios ag Rodrick go raibh mé ann. Ansin d'fhan
mé go raibh mé cinnte nach raibh sé thart.

Ach sula raibh deis agam uimhir Holly a chur
sa fón, tháinig duine éigin isteach. Bhí mé
CINNTE gur Rodrick a bhí ann.

Ach níorbh é. DAID a bhí ann.

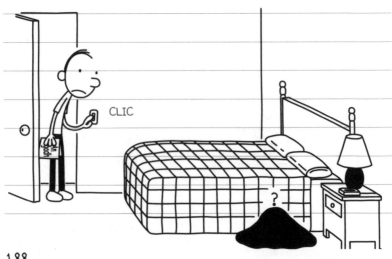

D'fhan mé an-socair go deo le súil is go bhfaigheadh Daid pé rud a bhí uaidh is go n-imeodh sé.

Ach níor imigh. Isteach leis sa leaba. Phioc sé suas LEABHAR agus thosaigh sé ag léamh.

Ba cheart dom bheith tagtha amach nuair a shiúil sé isteach sa seomra, ach bhí sé rómhall agam teacht amach anois, scanróinn an t-anam as. Rinne mé cinneadh éalú amach go mall.

Bhog mé ar nós seilide. Mheas mé go dtógfadh sé leathuair orm dul amach ag an luas seo, agus bheadh am fágtha agam chun glaoch ar Holly.

Bhí mé buailte leis an doras nach mór nuair a bhuail an fón a bhí i mo lámh agus baineadh geit uafásach asam.

Bhí an chuma ar Dhaid GO RAIBH sé tar éis taom croí a bheith aige. Ní mó ná sásta a bhí sé mé a fheiceáil.

Dhíbir sé as an seomra ar an bpointe mé agus dhún sé an doras go crosta.

Ní dóigh liom gur chuidigh an eachtra seo mórán le mo chaidreamh le Daid.

<u>Dé Máirt</u>

Tá dhá lá ann ó chroith mé lámh Holly agus ní fhéadfaidh mé nóiméad eile a scaoileadh tharam gan labhairt léi arís.

Ar an dea-uair, ní raibh Daid agus Rodrick sa bhaile anocht agus thapaigh mé mo dheis. Rinne mé míle is céad cleachtadh ar an méid a bhí mé le rá, agus ansin chruinnigh mé mo mhisneach le glaoch uirthi.

Chuir mé isteach an uimhir agus thosaigh an fón ag bualadh. Ach ag an bpointe sin, phioc Mama suas an fón thíos staighre.

<u>Tá</u> DROCHNÓS aici an fón a phiocadh suas gan seiceáil an bhfuil duine éigin eile á úsáid thuas staighre.

Rinne mé iarracht í a stopadh, ach níor éirigh liom.

Bhí an fón ag bualadh ar an taobh eile agus d'fhreagair duine éigin. Máthair Holly a bhí ann.

Níor thuig Mama céard a bhí ag tarlú mar nár ghlaoigh sí ar mhuintir Hills. B'fhada liom go mbeadh an glaoch thart.

Thóg sé nóiméad ar Mhama agus Mrs. Hills a chéile a aithint. Ach ansin, thosaigh siad ag caint amhail is nach raibh rud ar bith aisteach tarlaithe.

Choinnigh siad orthu ar feadh píosa fada, ag comhrá faoi choiste na dtuismitheoirí agus rudaí mar sin. Ní fhéadfainn an fón a mhúchadh mar go gcloisfeadh Mama an clic agus thuigfeadh sí go raibh mé ann.

Ansin, thosaigh Mama agus Mrs. Hills ag caint ormsa.

...THUG SÉ "PLÚPAÍ" AIR. MM HMM...

Ag an bpointe sin mhúch mé an fón agus chuaigh mé a chodladh. Mheas mé nach raibh sé i ndán dom labhairt le Holly agus d'éirigh mé as.

Dé hAoine

Inniu ar scoil chuala mé Holly ag rá lena cairde go gcasfadh sí leo ag an ionad scátála anocht. Las solas i m'intinn.

Díreach tar éis na scoile, d'iarr mé ar Mhama mé a thabhairt chuig an ionad scátála anocht agus dúirt sí go dtabharfadh. Mar sin, thug mé cuireadh do Rowley.

A luaithe a tháinig sé, thuig mé gur bhotún a bhí ann.

Bhí gruaig Rowley ina seasamh ar a chloigeann agus é gléasta cosúil leis an amhránaí, Joshie.

Ceapaim fiú amháin go raibh dath curtha ar a liopaí aige ach nílim go hiomlán cinnte. Ach ní raibh am agam bheith ag déanamh imní faoin gcuma a bhí ar Rowley. Bhí mo chuid fadhbanna féin agam. Bhí ceann de mo chuid LIONSAÍ SÚL caillte agam agus bhí orm mo spéaclaí a chaitheamh. Tá an ghloine iontu an-tiubh agus breathnaíonn siad AIFÉISEACH.

Mura bhfuil mo lionsaí istigh i mo shúile, nó mo spéaclaí orm, tá mé chomh caoch le gandal. Is dócha go bhfuil an t-ádh orm nach raibh mé beo cúpla céad bliain ó shin nó ní fheicfinn rud ar bith. Is cinnte nach mbeadh mórán maitheas liom ag seilg.

THALL ANSIN A BHÍ AN MAC TÍRE, AN EA?

CAOCH CAOCH

ZÚM

ZÚM

Bheadh orm bheith i mo shaoi nó rud éigin ionas nach bhfaigheadh na daoine eile i mo thimpeall réidh liom.

Ar an mbealach chuig an ionad scátála anocht, thug mé treoir an-soiléir do Rowley faoin méid a bhí le déanamh aige dá dtosóinn ag caint le Holly Hills, ar fhaitíos go millfeadh sé rudaí orm.

Ach faraor bhí Mama ag cúléisteacht lenár gcomhrá.

Nuair a shroich muid an t-ionad scátála, d'éalaigh mé as an gcarr sula ndéarfadh sí rud ar bith eile a chuirfeadh as dom.

D'íoc mise agus Rowley as na ticéid agus chuaigh muid isteach. Fuair muid ár scátaí agus thug muid anonn iad chuig an gcúinne ina raibh suíocháin agus boird. Bhreathnaigh mé thart go bhfeicfinn cé a bhí ann.

Chonaic me Holly amach uaim. Bhí sí in éineacht lena cairde agus ní raibh mé réidh le dul chun cainte léi fós.

Ag a 9:00 d'fhógair an DJ "Scátáil na Lánúineacha". Bhí lánúineacha ag dul amach agus bhí Holly suite ag bord aisti féin. Ba é seo mo sheans.

Thosaigh mé ag déanamh mo bhealaigh ina treo, ach bhí sé AN-DEACAIR bogadh thart leis na scátaí orm. B'éigean dom greim a choinneáil ar an mballa ar fhaitíos go dtitfinn ar mo thóin.

Bhí sé ag tógáil TAMALL FADA agus bhí faitíos orm go mbeadh an t-amhrán thart. Mar sin, chuaigh mé síos ar mo thóin chun bogadh níos tapúla.

Ba bheag nár leagadh mé cúpla uair, ach shroich mé an áit sa deireadh thiar.

Bhí Holly fós ann agus í ina suí léi féin. Bhí an t-am ag sciorradh uaim agus b'éigean dom sleamhnú trí lochán líomanáide ar fhaitíos go mbeadh sí imithe orm.

Thuig mé nach raibh cuma róchúláilte orm agus mé ag tónacán ar an urlár agus go mbeadh orm rud éigin an-suimiúil a rá chun cúiteamh as sin. Ach sula raibh deis agam mo bhéal a oscailt, dúirt Holly ceithre fhocal a d'athraigh gach rud —

NACH "FREGLEY" ATÁ ORTSA?

Thosaigh mé ag rá léi gur mise Greg Heffley ach díreach ag an nóiméad sin chríochnaigh an t-amhrán agus thosaigh a cuid cairde ag rith ar ais ina treo.

Rinne mé mo bhealach ar ais chuig mo shuíochán agus d'fhan mé ansin an chuid eile den oíche. Creid uaimse é nach raibh AON fhonn scátála orm ina dhiaidh sin.

Is dóigh gur cheart go dtuigfinn i bhfad ó shin nárbh fhiú an tairbhe an trioblóid le Holly. Bhí rud éigin mícheart le duine ar bith a cheapfadh gur mise FREGLEY.

Tá mé tinn tuirseach de chailíní ar AON NÓS. Ba cheart dom ceist a chur ar Dhaid an bhféadfaidh mé dul chuig an Scoil Mhíleata anois in áit bheith ag crochadh thart san áit seo.

MEITHEAMH

Dé hAoine

Inniu an lá deireanach ar scoil, agus bhí GACH duine sásta ach mise. Tá siad uilig ag súil go mór le spraoi an tsamhraidh, ach níl romhamsa ach anró agus cruatan.

Ag am lóin, chuir daoine thart a gcuid bliainirisí le síniú agus seo a bhí scríofa ar an leathanach cúil ar mo cheannsa —

Ná bí cneasta
Bí snasta
Stail

I dtosach níor thuig mé céard a chiallaigh "Stail" ach ansin thuig mé gur Rowley a bhí ann. Cúpla lá ó shin, d'iarr déagóir ar Rowley bogadh as an mbealach sa phasáiste.

201

Seo é an rud a dúirt mo dhuine —

Ceapann Rowley anois gurb é "Stail" an leasainm atá air go deo. Ná ceapadh sé go dtabharfaidh MISE an t-ainm sin air.

Bhreathnaigh mé tríd an iris agus baineadh stangadh asam nuair a chonaic mé teachtaireacht amháin. Holly Hills a scríobh é.

I dtosach báire, bhí m'ainm ceart scríofa aici, rud a chiallaíonn go bhfuair sí amach ó shin cé mé féin. Ní hamháin sin, ach scríobh sí "F.I.dT." ag a dheireadh. Tá a fhios ag an saol go gciallaíonn sé sin "Fan i dTeagmháil". Ná bíodh imní ort, FANFAIDH.

Greg,
Níl aon aithne agam ort ach is duine ceart go leor tú, sílim.

F.l.dT.
Holly

Shín mé mo bhliainiris chuig Rowley lena taispeáint dó. Ach ansin thaispeáin sé a leabhar SEISEAN agus an méid a scríobh sí ann. Chuir an nóta sin cuma eile ar an scéal.

A Rowley, a chara,
Tá tú go hálainn & greannmhar!
Ag súil tú a fheiceáil go minic an chéad bhliain eile!

Grá mór,
Holly

Cúpla nóiméad ina dhiaidh sin, tháinig bliainiris
Holly chomh fada liom agus shínigh mé í. Seo a
scríobh mé —

Ceapaimse go ndearna mé gar MÓR do Rowley.
Níl mé ag iarraidh go mbrisfidh Holly Hills a
chroí, mar go dtuigimse gur féidir le cailíní a
bheith an-chruálach.

Dé Sathairn
Inniu an t-aon lá saoire a bhí agam agus bhí
orm é a chaitheamh ag cóisir leathlae breithe
Seth Snella. D'iarr mé fanacht sa bhaile, ach
chuir Mama iallach orainn ar fad dul ann mar
theaghlach amháin.

Ní dhearna Daid aon agóid, mar gur thuig sé
nach mbeadh aon mhaith dó ann.

Mar sin, ag a 1:00 chuaigh muid trasna an
bhóthair chuig an gcóisir.

Bhí a míle dícheall déanta acu i mbliana. Bhí
fear grinn ann agus caisleán spraoi fiú.

Bhí ceol beo acu agus ní mó ná sásta a bhí
Rodrick mar go ndearna a bhanna, Klüjeen
Lawn, iarratas casadh ann, ach diúltaíodh dóibh.

D'ith muid lón agus thosaigh an phríomhócáid ag
a 3:30.

Chruthaigh na daoine fásta scuaine agus rinne siad iarracht ar a seal Seth a chur ag gáire. Mr. Henrich a chuaigh i dtosach.

Bhí cuma an-neirbhíseach ar Dhaid ar chúl na líne. Ag pointe amháin, shiúil mé thairis agus stop sé mé. Dúirt sé dá bhféadfainn é a shábháil ón líne go gcúiteodh sé liom é.

Cheap mé go raibh muineál aige gar a iarraidh
ORMSA agus é do mo dhíbirt ón mbaile chuig an
Scoil Mhíleata amárach. Mar sin, bhí mé sásta é
a fhágáil ar a mhíchompord.

Ach ní raibh mé ag iarraidh go ndéanfadh sé
amadán de féin os comhair an tsaoil ach oiread.
Smaoinigh mé ar éalú ionas nach mbeadh orm
breathnú air.

Ansin chonaic mé Manny ag tochailt i measc
bhronntanais Seth.

Fuair Manny bronntanas s'againne agus d'oscail sé
é. Thuig mé ar an bpointe go mbeadh rudaí ina
raic.

Pluid ghorm a bhí ann, cosúil leis an gceann a bhíodh ag Manny fadó. Cheap MANNY go raibh Ruidín nua faighte aige.

Chuaigh mé anonn chuige agus dúirt mé leis gur don bhabaí nua an phluid agus ní dósan. Ach ní scaoilfeadh Manny leis.

Nuair a thuig sé go raibh mé chun é a thógáil, chaith sé amach thar an ráille é.

Thit an phluid ar chraobh crainn. Bhí orm é a fháil ar ais sula raibh a fhios ag Mama céard a tharla. Amach liom ar an ráille agus thosaigh mé ag dreapadh an chrainn.

Díreach agus mé ar tí greim a fháil ar an bpluid, sciorr mo chos agus bhí mé i sáinn. Rinne mé iarracht mé féin a tharraingt aníos ach theip orm.

Seans go mbeinn sách láidir lena dhéanamh, ach nach raibh le hithe agam ó mhaidin ach reoán de cháca. Ní raibh fuinneamh ar bith ionam.

Bhéic mé i gcomhair cabhrach, ach bhí aiféala orm ar an bpointe. Díreach ag an nóiméad a dtáinig daoine anall chugam, thit mo bhríste síos timpeall ar mo rúitíní.

Ní tharlódh sé dá mbeinn ag caitheamh mo bhríste FÉIN. Ní bhfuair mé deis an tseacláid a ghlanadh de mo cheannsa agus ba threabhsar le RODRICK a bhí orm agus bhí sé i bhfad rómhór.

Bhí mé náirithe amach is amach, ach ansin thuig mé go raibh rudaí NÍOS MEASA fós. Bhí fobhrístí Wonder Woman orm.

Tháinig Daid anall chun cuidiú liom, ach bhí gach rud taifeadta ag Mr. Snella faoin tráth sin.

Agus níl aon amhras orm ach gurbh é seo an físeán a bhainfidh an duais mhór ar "Pleidhcí & Pleotaí".

Ina dhiaidh sin, chuir Daid deifir abhaile romham agus cheap mé go mbeadh sé an-chrosta go deo liom. Ach, mar a tharla sé, shábháil mise Daid ó bheith ag iarraidh Seth Snella a chur ag gáire.

Agus éist leis seo: Ceapann Daid gur CHUM mé an rud ar fad chun é a shábháil.

Ní raibh mé chun é a cheartú ach oiread. Fuair mé babhla mór uachtar reoite dom féin agus rinne mé iarracht sásamh a bhaint as an gcuid eile de mo lá deireanach saoire.

Dé Domhnaigh

Nuair a dhúisigh mé ar maidin, bhí sé a 11:00. Bhí iontas orm mar go raibh Daid le mé a thabhairt chuig an Scoil Mhíleata ag a 8:00.

Chuaigh mé síos an staighre. Bhí Daid ina shuí ag an mbord agus ní raibh a chuid éadaí air fós fiú.

Nuair a shiúil mé isteach sa chistin, dúirt Daid go raibh a intinn athraithe aige faoin Scoil Mhíleata. Dúirt sé go bhféadfainn roinnt aclaíochta a dhéanamh anois is arís agus go ndéanfadh sin láidir mé chomh maith céanna.

Níor chreid mé a raibh á rá aige. Is dócha gur cheap sé go raibh air mé a chúiteamh as é a shábháil inné.

Suas liom chuig teach Rowley sula mbeadh deis aige a intinn a athrú. Ar mo bhealach suas an chocán, smaoinigh mé go raibh mé ar saoire.

Bhuail mé ar dhoras Rowley agus d'inis mé dó NACH raibh mé ag dul chuig an Scoil Mhíleata tar éis an tsaoil.

Ní raibh tuairim ag Rowley cad a bhí i gceist agam, ach ba chuma.

D'imir muid Twisted Wizard 2 ar feadh tamaill agus ansin dhíbir a thuismitheoirí as an teach muid. Fuair muid uachtar reoite agus shuigh muid ar an gcosán.

Ní chreidfeá céard a THARLA ansin. Tháinig cailín gleoite nach bhfaca mé riamh cheana anall chugainn agus chuir sí í féin in aithne dúinn.

Dúirt sí gur Trista a bhí uirthi agus go raibh sí tar éis bogadh isteach ar an tsráid.

Bhreathnaigh mé ar Rowley agus ba léir gur thuig Tadhg Taidhgín. Níor thóg sé ach dhá shoicind orm smaoineamh ar phlean.

Ach ansin bhí smaoineamh NÍOS FEARR agam.

Tá muintir Rowley ina mbaill d'ionad fóillíochta agus bíonn cead aige beirt aoi a thabhairt leis chuig an linn snámha.

D'oibreodh sé sin amach go breá.

Tá an chuma ar an scéal go bhfuil rudaí ag dul i bhfeabhas dom ar deireadh. Tá sé tuillte go maith agam ó tharla go bhfuil mé ar dhuine de na daoine is fearr dá bhfuil aithne agam orthu.

Tuigim go bhfuil sé leamh críoch sona a bheith le scéal, ach tá mé rite amach as páipéar ar aon nós, mar sin, seo é

AN CRÍOCH.

BUÍOCHAS

Buíochas le mo bhean, Julie – murach a grá sise ní bhea
na leabhair seo ann. Buíochas le mo mhuintir – le Ma
Daid, Re, Scott agus Pat – agus le mo ghaolta gairide, muint
Kinney, Cullinane, Johnson, Fitch, Kennedy agus Burdett. Tá
an-tacaíocht tugtha agaibh ar fad dom is mé i mbun na hoibre
seo agus is mór an pléisiúr dom mo chuid eachtraí a roinnt libh!

Buíochas, chomh maith, le m'eagarthóir, Charlie Kochman,
a chuaigh sa bhfiontar leis an tsraith seo; le Jason Wells,
an stiúrthóir poiblíochta is fearr dá bhfuil ann; agus leis an
bhfoireann iontach ar fad tigh Abrams.

Buíochas le mo bhas, Jess Brallier agus le mo chomhoibrithe
ar fad ag an Family Education Network.

Buíochas le Riley, Sylvie, Carla, Nina, Brad, Elizabeth agus
Keith amuigh i Hollywoodland.

Buíochas le Mel Odom faoi na léirmheasanna bladhmannacha
a scríobh sé den chéad dá leabhar.

Agus buíochas le Aaron Nicodemus a spreag me fadó riamh
le mo pheann cartúnaíochta a tharraingt chugam féin arís
nuair a bhí mé féin ar tí éirí as.

EOLAS FAOIN ÚDAR

Is forbróir agus dearthóir cluichí ar líne é Jeff Kinney agus
údar é a bhfuil #1 i liostaí díolaíochta an *New York Times*
bainte amach aige. I 2009 ainmníodh Jeff ar liosta na hirise
Time den 100 duine is mó tionchar ar domhan. Chaith sé a
óige i gceantar Washington D.C. agus d'aistrigh sé go New
England i 1995. Tá cónaí ar Jeff i ndeisceart Massachusetts
lena bhean agus a mbeirt mhac.